D1177491

LE PÉNIS ILLUSTRÉ

Surnommée « Big Stoney », cette protubérance rocheuse est une des merveilles naturelles du Basin State Park, situé dans l'Utah, aux États-Unis.

LE PÉNIS ILLUSTRÉ

Joseph Cohen

KÖNEMANN

Édition originale :
Fresh Ideas Daily New York City

Bonner Str. 126, D-50968 Cologne

Design : Tom Dolle Desing, New York City
Responsable de l'édition : Peter Feierabend

Titre original : *The Penis Book*

Traduction de l'anglais : Renaud Morin
Réalisation : mot.*tiff*, Paris
Fabrication : Ursula Schümer
Impression et reliure : Sing Cheong Printing Co., Ltd.
Imprimé à Hong Kong, Chine

ISBN 3-8290-3299-4

Vous en avez un,

Vous en voulez un,

Vous les adorez,

Vous les détestez...

Le pénis

Plus petit qu'un chihuahua
et pourtant... on lui doit tellement
d'émotions,
de fredaines,
de lectures polissonnes,
d'heures passées
devant le minitel rose,
de séances chez le psy,
de blagues cochonnes,
d'heureux événements,
de plaisirs,
de nuits blanches,
de soupirs,
de mensonges,
de situations embarrassantes.

Et tant de fous rires...

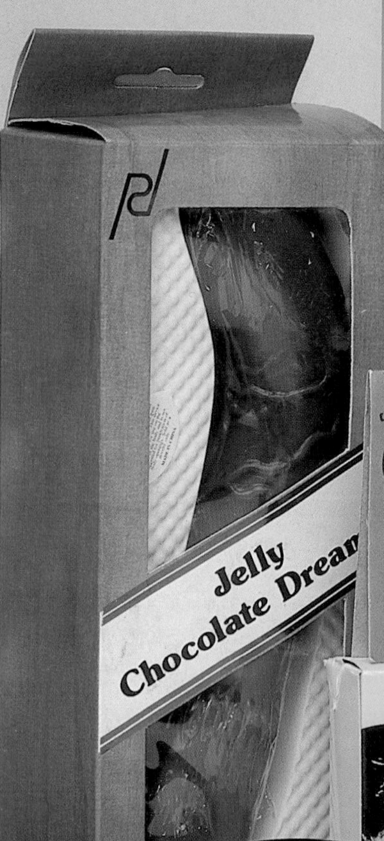
Jelly
Chocolate Dream
Multi-Speed

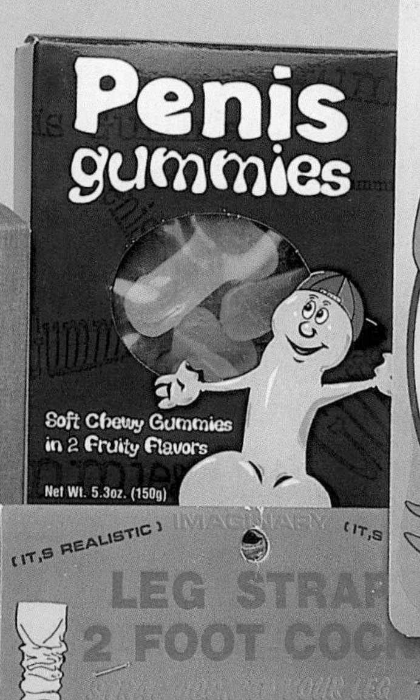
Penis
gummies
Soft Chewy Gummies
in 2 Fruity Flavors
Net Wt. 5.3oz. (150g)

Pecker
Earrings

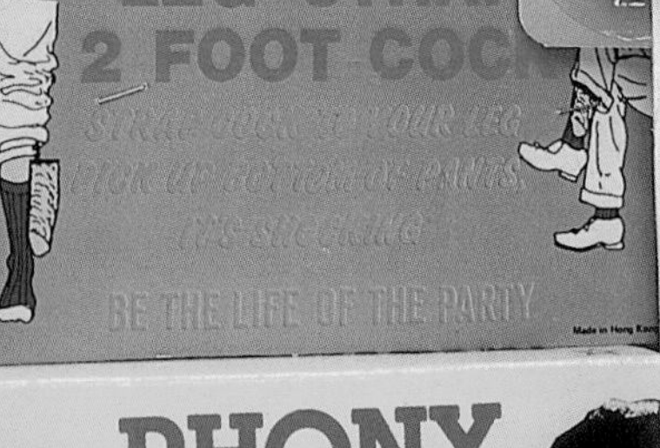
(IT,S REALISTIC) IMAGINARY
LEG STRA
2 FOOT COCK
BE THE LIFE OF THE PARTY

PHONY
FACE

WIMPY
WILLY

MADE IN CHINA
BEST BEFORE END SEE BASE OF PACK
FLEETWOOD
Penis
from the finest Durum Wheat
250g e
MR. PENIS
Lolly Pop ICE MOLD
DAVID'S
ICE-TONGS
Cocktail
Sippers
For external use

C'EST L'HEURE DE VÉRITÉ !

LE MOMENT DE VOUS COMPARER AUX VRAIS MÂLES.

ALORS ? ÊTES-VOUS VRAIMENT À LA LONGUEUR ?

Allez, debout

Nombreux sont les hommes qui aimeraient troquer la saucisse cocktail qui leur tient lieu d'attribut viril pour les mensurations exceptionnelles des stars du porno. Renoncez à ce phantasme. En la matière, tout n'est pas une question de centimètres. Si mère nature s'est montrée (bien) généreuse avec quelques uns d'entre nous, voici quelques statistiques intéressant le pénis de monsieur Tout-le-monde : **au repos, un pénis moyen mesure quelque 9 cm pour un peu plus de 3 cm de diamètre. En érection, sa longueur atteint 13 cm et son diamètre passe à 4 cm. C'est vers 17 ans qu'un homme dispose d'un pénis « adulte ».**

DOUCE REVANCHE. Ce sont les petits boutons qui font les plus belles fleurs. Que ceux dont le membre n'excède pas les huit centimètres au repos se rassurent : leur petite baguette a quelque chose de magique et pourra doubler de volume au moment opportun. Quand aux mâles généreusement dotés, si leur érection est moins spectaculaire... n'oublions pas qu'ils partent toujours avec une longueur d'avance.

ONG NEZ, BIEN MEMBRÉ ? Aucune corrélation. Bien sûr, tout le monde a eu vent de ces légendes selon lesquelles les grandes

& montrez voir !

mains, les lobes d'oreilles avantageux et les nez de Cyrano seraient autant de signes infaillibles pour débusquer l'homme aux « œufs d'or » ; mais des études très sérieuses ont montré qu'il s'agissait bien... de légendes. La taille du pénis dépend de votre patrimoine génétique et non de la taille de vos charentaises.

CHÉRIE, J'AI RÉTRÉCI...! La peur, le stress ou l'eau froide peuvent considérablement réduire les dimensions de votre pénis. Il n'est donc pas surprenant qu'au cours de la visite médicale annuelle, près d'un tiers des patients éprouvent le besoin de justifier leur petite forme, en expliquant au médecin : « Mais docteur, je vous assure qu'il reprendra sa taille normale dès que je sortirai d'ici. »

SECOUEZ-VOUS ! Les urologues s'accordent sur un point : votre sexe a besoin d'exercice. Le mécanisme de l'érection permet d'irriguer le pénis en apportant l'oxygène nécessaire à l'entretien des vaisseaux que renferme votre engin. À long terme, une oxygénation déficiente peut favoriser l'accumulation de collagène dans les tissus et transformer vos érections en lointain souvenir.
Alors, mettez-en un coup !

Celui de Schwarzenegger
est long...

Celui de Bratt Pitt
est court...

Madonna
n'en a pas...

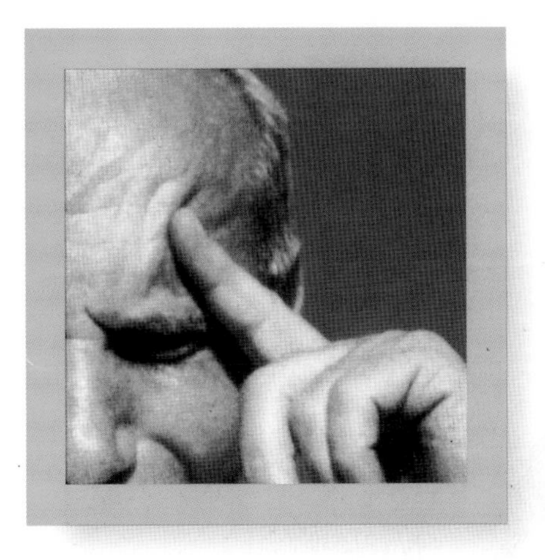

Et le pape ne se sert
jamais du sien.

QUE SUIS-JE ?

RÉPONSE : UN NOM DE FAMILLE

Vous trouvez votre pe

BIENVENUE DANS LE MONDE (PAS TOUJOURS

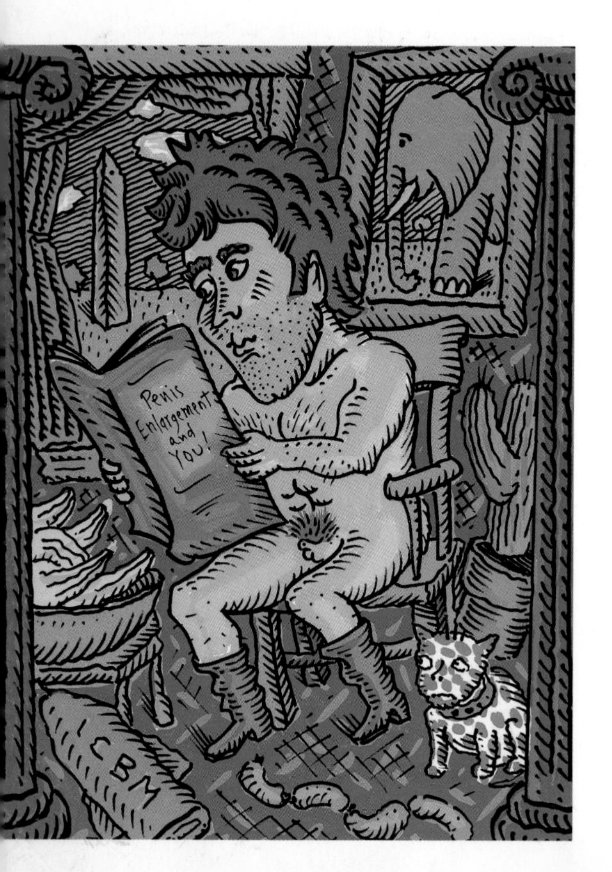

On peut appeler ça l'égalité des sexes. Depuis des années, les femmes se font gonfler la poitrine ; il est donc normal que les hommes, eux aussi, aient fini par ressentir le besoin de faire retoucher leur jouet favori. Les publicités pour les cliniques pratiquant l'élargissement du pénis sont légion et on peut trouver sur le web quelques sites prônant le recours à ce type d'opération, photos à l'appui.

Découragés par les maigres subsides reversées par les compagnies d'assurance, les chirurgiens abandonnent artères et autres vésicules récalcitrantes pour explorer un nouveau monde plein de promesses. Les hommes doutant de leur virilité représentent en effet une véritable mine d'or. Les brochures de ces médecins sont des plus impressionnantes ; de nombreux patients y racontent leur soudaine transformation en bête de sommier. Et regardez-moi ces pénis ! Autant de trophées à la gloire du bon docteur.

Votre coucou et autres organes vitaux en bon état de marche – muni de quelques milliers

nis... un peu court ?

IERVEILLEUX DE LA CHIRURGIE PLASTIQUE.

de francs (les cartes bleues sont également acceptées), vous et votre petit camarade êtes fin prêts pour le grand jour. Sous anesthésie générale, le chirurgien pratiquera une petite incision juste au-dessus de la base du pénis. Puis, il sectionnera les ligaments qui rattachent le pénis à l'os pubien, ce qui permettra aux quelques centimètres de votre membre qui se trouvent normalement à l'intérieur de votre corps, de pendre à l'extérieur. (Au cas où le sujet vous intéresserait, sachez que cette technique a été mise au point par le docteur Long, un chirurgien chinois.)

Ce n'est pas tout. En plus de la longueur, les hommes souhaitent aussi donner du corps à leur pénis. La plupart des chirurgiens satisfont à cette demande en prélevant de la graisse sur l'abdomen ou la cuisse et en l'injectant sous la peau du pénis. La greffe cutanée constitue une autre technique consistant à prélever un greffon dans le derme du fessier et à le placer sous la peau du pénis.

Malheureusement, toute médaille a son revers : nombreux sont les patients déçus ; et souvent, les techniques d'élargissement sont loin de tenir toutes leurs promesses. Des tissus cicatriciels se forment à l'endroit où l'on a sectionné le ligament, ce qui provoque une rétraction du pénis, qui devient alors plus court qu'avant l'opération. Souvent, les érections se font à angle droit, au lieu de pointer vers le haut. Les injections de graisse ont également fait leur lot de victimes. Après quelques mois, le corps assimile la plus grande partie de la graisse, et celle qui subsiste rend le pénis tout bosselé et lui donne une forme irrégulière. Si la technique du greffon peut donner une forte personnalité à votre pénis, elle peut aussi causer de sérieux problèmes de cicatrisation, une perte de sensibilité, des troubles de l'érection et, dans certains cas, conduire à l'impuissance. Il n'est donc pas surprenant qu'une nouvelle génération d'avocats se soit spécialisée dans les poursuites judiciaires pour faute professionnelle suite à des actes chirurgicaux de ce type.

SE SENTIR MIEUX SANS BISTOURI :

- Rasez vos poils pubiens.
- Perdez du poids.
- Vivez heureux avec votre petit engin.

MONSIEUR TOUT-LE-MONDE...

entre 15 et 60 ans,
produira de 28 à 47 litres de sperme
contenant 350 à 500 milliards de spermatozoïdes.

Volume moyen d'un éjaculat :	*1/2 à 1 cuillerée à café*
Ingrédient principal :	*fructose*
Teneur en calories :	*5 calories par cuillerée à café*
Protéines :	*6 mg par cuillerée*
Nombre moyen de giclées lors d'une éjaculation :	*3 à 10*
Vitesse moyenne de l'éjaculation :	*40 km/h*
Intervalle moyen entre deux contractions éjaculatoires :	*0,8 seconde*
Durée moyenne d'un orgasme :	*4 secondes*
Record de distance d'éjaculation enregistré par la médecine :	*59,7 cm*
Quantité moyenne de spermatozoïdes dans l'éjaculat d'un homme fertile :	*200 à 600 millions*
Quantité moyenne de spermatozoïdes dans l'éjaculat d'un homme stérile :	*50 millions*
Vitesse de natation moyenne :	*de 1 à 4 mm/min*

La température des testicules est légèrement inférieure à celle du corps ; ce climat est idéal pour une production de sperme abondante. (Si vous vous êtes mis en tête de procréer, évitez les bains trop chauds et les maillots de bain trop serrés.) ✷ Environ 90 pour cent de l'hormone mâle, la testostérone, est produite dans les testicules avant de se diffuser dans tout l'organisme. ✷ Les testicules européens sont quasiment deux fois plus lourds que leurs cousins chinois. ✷ Afin qu'ils puissent cohabiter en bonne intelligence toute la vie durant, le testicule gauche est placé plus bas, et est en général un peu plus volumineux que le testicule droit, chez près de 85 pour cent des hommes. ✷ Quand ils prêtaient serments, nos lointains ancêtres posaient leurs mains sur les testicules d'un témoin afin d'exprimer leur bonne foi. La langue témoigne encore de cette coutume au travers de mots comme « testament » ou « testimonial ». ✷ De récentes études menées au Royaume-Uni ont montré que les hommes pourvus de gros testicules avaient davantage de relations sexuelles (environ 30 % de plus par rapport à la moyenne) que leurs congénères moins « couillus » ; ils seraient en outre plus enclins à tromper leur partenaire. ✷ Les eunuques de la cour impériale de Chine portaient leurs testicules confits dans de petits flacons noués autour du cou. ✷ Diagnostiqué à temps, le cancer des testicules est celui qui se guérit le mieux. ✷ Il est conseillé d'examiner ses testicules tous les mois, de préférence à la sortie du bain, quand la peau du scrotum est distendue. ✷ Bien que les testicules méritent toute votre attention, les hommes apprécient aussi qu'on les presse, qu'on les suce, qu'on les tire et qu'on les gifle. Si vous allez trop loin, on vous le fera savoir. ✷ Chaque année au mois de septembre, à l'occasion du Montana's Original Testicle Festival, plus d'une tonne d'« huîtres des montagnes » (testicules de taureau frits) est servie aux participants. Garanties sans os. Mordez la vie ! ✷ Pour enrichir votre conversation, commencez par enrichir votre vocabulaire : les bijoux de famille bien entendu, mais aussi les kiwis, les burnes, les cojones, les noisettes, sont autant de plaisants synonymes...

Great Balls o

FIRE

ABRACADABRA

La virilité en pilule

Qui aurait pu prédire qu'un médicament conçu à l'origine pour traiter les maladies cardiaques déclencherait un jour de telles passions ?

Pour les 140 millions d'individus atteints d'impuissance chronique, le Viagra est devenu synonyme d'élixir de jouvence. Ses composants chimiques favorisent la vasodilatation à l'intérieur du pénis, ce qui facilite l'afflux sanguin et le maintien de l'érection.

Réglez votre réveil une heure avant le décollage souhaité. Avalez votre pilule et réunissez vos vinyles les plus langoureux. Il vous en faudra un certain nombre, dans la mesure où le Viagra permet jusqu'à quatre heures d'érections. Une bonne nouvelle pour les éjaculateurs précoces auxquels il est donné une seconde chance et bien sûr pour leurs partenaires qui connaîtront enfin une vraie et longue partie de plaisir (elles qui avaient à peine le temps de se déshabiller).

THINK BIG. Depuis l'an 2000, le Viagra est distribué dans le monde entier. C'est d'ores et déjà le plus grand succès pharmaceutique de l'histoire de la médecine.

LA CRAMPE DE L'ÉCRIVAIN. Pour prescrire cette pilule miracle sans rédiger d'ordonnance, de nombreux médecins se sont fait faire des tampons spéciaux ; judicieuse idée quand on sait qu'en une seule semaine, le Viagra a été prescrit à 340 000 reprises.

À SUIVRE. La concurrence risque d'être rude : une pilule faisant effet en 15 minutes, un gel pour une érection minute et un spray nasal pour retrouver votre virilité.

EN ROSE POUR LES FILLES. À quand le Viagra au féminin ? Des recherches menées en Europe semblent indiquer que le Viagra pourrait contribuer à améliorer la réceptivité sexuelle des femmes en augmentant l'afflux sanguin dans la zone vaginale, notamment dans le clitoris, lequel, rappelons-le, est le pendant féminin du pénis, ce que certains hommes admettent difficilement.

DAN QUAYLE SOUS VIAGRA. L'ex vice-président des États-Unis nous fait part de son expérience : « Ça fait une semaine que je prends ce truc, et toujours rien ! C'est le suppositoire le moins efficace que j'ai jamais essayé. »

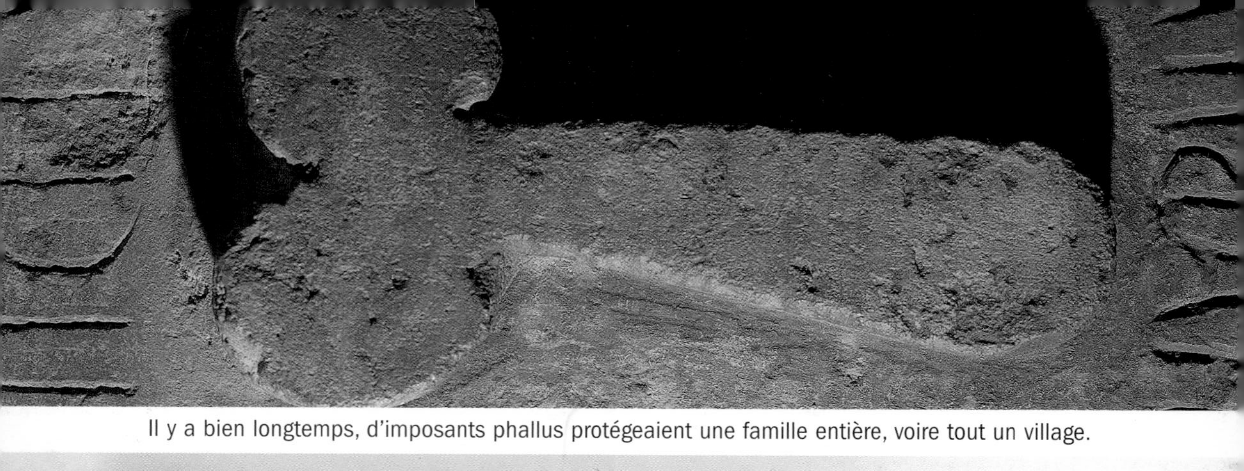

Il y a bien longtemps, d'imposants phallus protégeaient une famille entière, voire tout un village.

Ces symboles étaient gages de fertilité, de moissons abondantes, de victoires sur l'ennemi et sur les mystères de la vie.

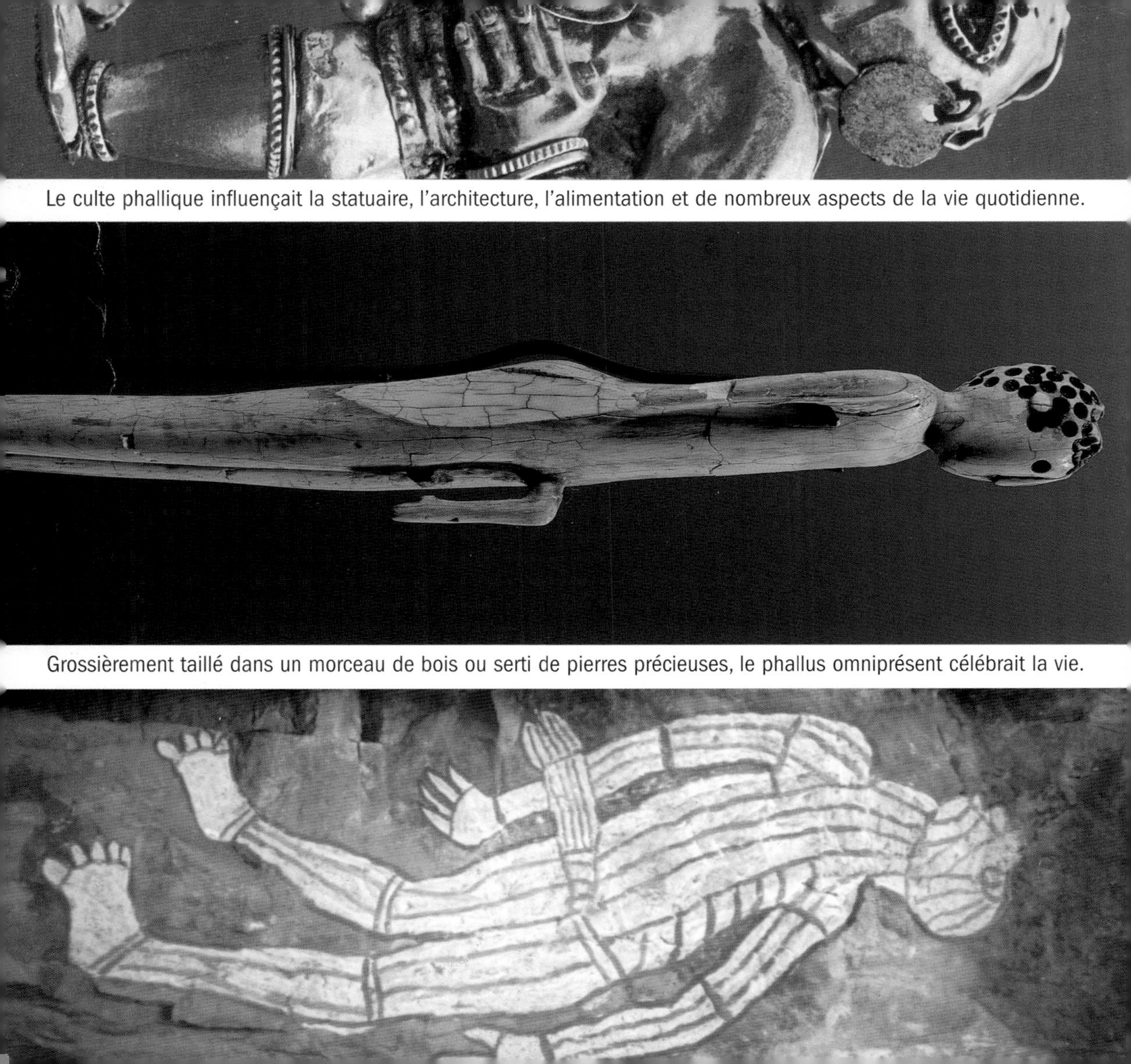

Le culte phallique influençait la statuaire, l'architecture, l'alimentation et de nombreux aspects de la vie quotidienne.

Grossièrement taillé dans un morceau de bois ou serti de pierres précieuses, le phallus omniprésent célébrait la vie.

Tabou

On les appelle *Irezumi*, une secte japonaise composée d'hommes et de femmes qui transforment leur corps en véritable œuvre d'art. Le pénis est la dernière partie de leur anatomie à être tatouée ; c'est aussi la région la plus sensible. À chaque séance, le maître es-tatouages se consacre à une toute petite zone.

Ces enveloppes charnelles continuent de susciter l'étonnement et la convoitise après le décès de leurs propriétaires. Plus de trois cents peaux tatouées (corps entiers et bustes) ont ainsi été conservées à l'abri de l'air et vendues à des collectionneurs privés et à des musées. Si vous êtes intéressé, sachez qu'il y a quelques années un torse tatoué a été adjugé pour 50 000 $.

DANS L'ANNUAIRE TÉLÉPHONIQUE DE PARIS, VOUS TROUVEREZ

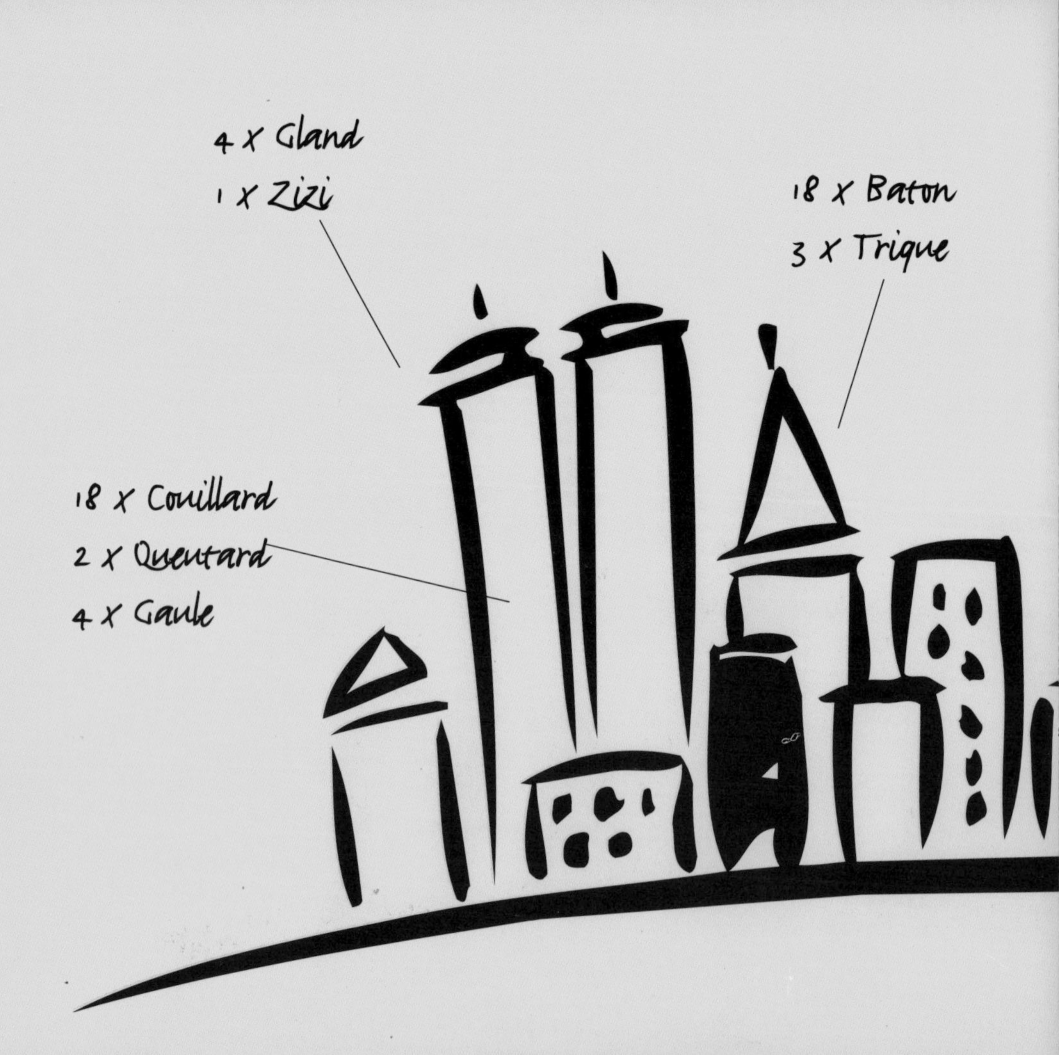

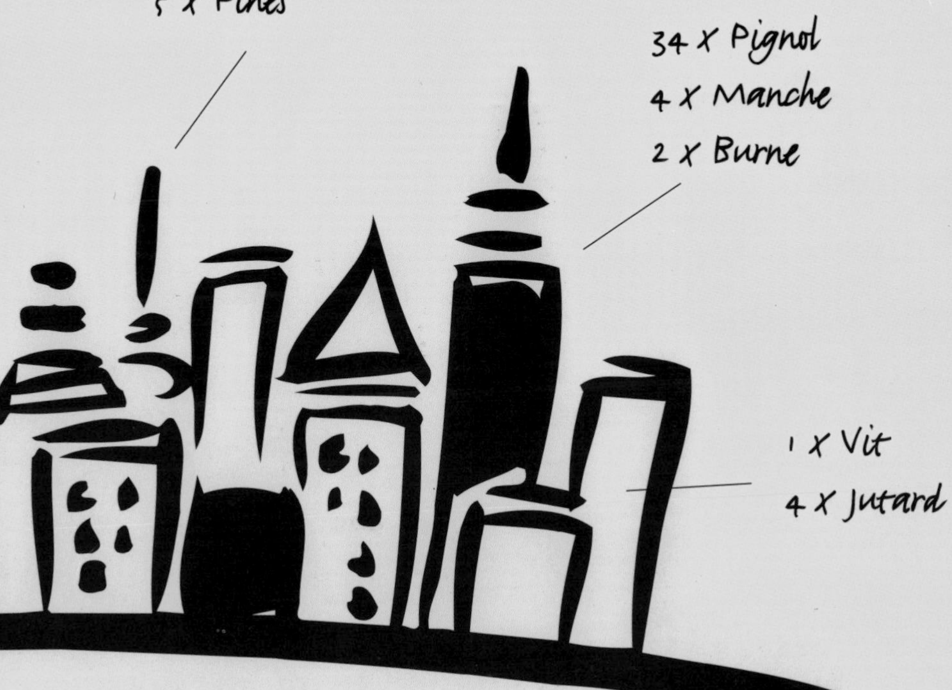
1 x Turlutte
1 x Bitte
38 x Gourdin
5 x Pines
34 x Pignol
4 x Manche
2 x Burne
1 x Vit
4 x Jutard

NÉERLANDAIS
PLASSER
AYIR
ARABE
CAZZO
ITALIEN
CACETE
PORTUGAIS
ORTABACAK
TURC
TITTLINGUR
ISLANDAIS
KONTOL
INDONÉSIEN
JAPONAIS
CHINPO
PULA
ROUMAIN

PUTZ

TISSEMAND

◄ DANOIS

◄ YIDDISH

ESPÉRANTO ►

KACO

SUÉDOIS ►

KUK

PIKK

▲ NORVÉGIEN

NE LE MONTREZ PAS !

DITES-LE!

LAVDA

▲ HINDI

KHUY

▲ RUSSE

CANTONAIS ►

GAUL

ANGLAIS ►

COCK

BITE

▲ FRANÇAIS

« Hé ! Viens dans mon pieu, et je te taille une pipe ! »

« Jouer de la flûte », c'est par ce charmant euphémisme que les Grecs de l'Antiquité désignaient la fellation. Dans le Kama Sutra, elle est désignée par le terme suave de *ambarchusi*, lequel signifie « sucer une mangue ».

La fellation – du latin *fellare*, « sucer, têter » – a été pratiquée de toute éternité car c'est un concept qui allie plaisir et simplicité : une bouche sur un pénis. Vite fait, bien fait, dans un ascenseur. Sur un lit tendu de satin, les deux partenaires disposés tête-bêche dans un bruyant et enivrant soixante-neuf. Certains hommes ne jurent que par la fellation pratiquée sur la table de la cuisine. D'autres apprécient en outre qu'on maltraite un peu leurs testicules ou qu'un doigt curieux explore leur rectum. Quant aux amoureux des régions arctiques, ils ne peuvent résister au crissement givré d'une bouche remplie de glaçons.

Bien des hommes sont incapables d'atteindre l'orgasme au cours d'une fellation, même s'ils ont affaire à une langue experte. Ceci ne doit pas poser problème. La fellation n'est qu'une des innombrables possibilités qui s'offrent à vous. Et d'ailleurs, beaucoup rechignent à avaler ce nectar (ce qui de toute façon n'est pas de mise chez les adeptes du « safer sex »).

DÉCOREZ VOS

MURS

Tour d'ivoire

Macaroni au curry

Bois bandé

Tige de bambou

LES EFFETS « MATIÈRE »

Plus difficile... mais avec effet garanti !

AUX COULEURS DE VOTRE
PÉNIS

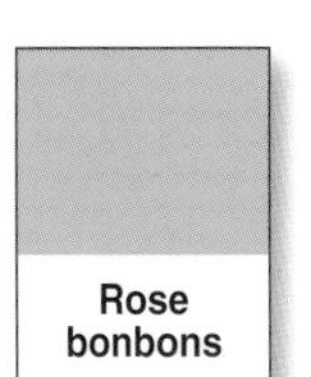

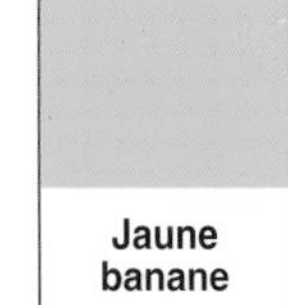

Pubissimo

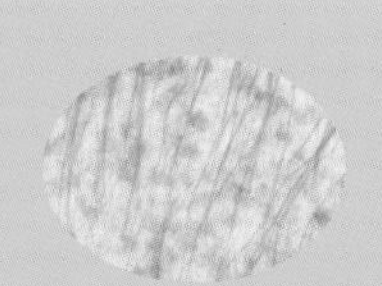

Grains de beauté

Veiné

CE UPON A
ME ------
K. Haring
5.27.
89

Le peintre Keith Haring occupé à la décoration de la salle de bains du Lesbian and Gay Community Services Center, New York, 1989.

L'employée du mois
FABRIQUE DE PÉNIS LUCKY Dragon

« Toute la journée **moi faire sauter pénis**... faire sauter **pénis**. Des fois, un pied se détacher... le ressort lâcher dans mon œil. Plus, faire encore plus **petits pénis sauteurs**, dit le chef... Aujourd'hui, moi faire trois cents... pas assez... **faire plus**. May Wong à la table à côté dire à moi ses petits pénis toucher le ciel. Moi lui dire : **toi face de gland.** Elle très en colère... après, elle rire, rire beaucoup. Moi faire travail... rentrer à la maison et casser œuf dans la soupe pour mari. **Son pénis,** moi pas voir depuis trois années. »

CHING LEE

Le jockstrap

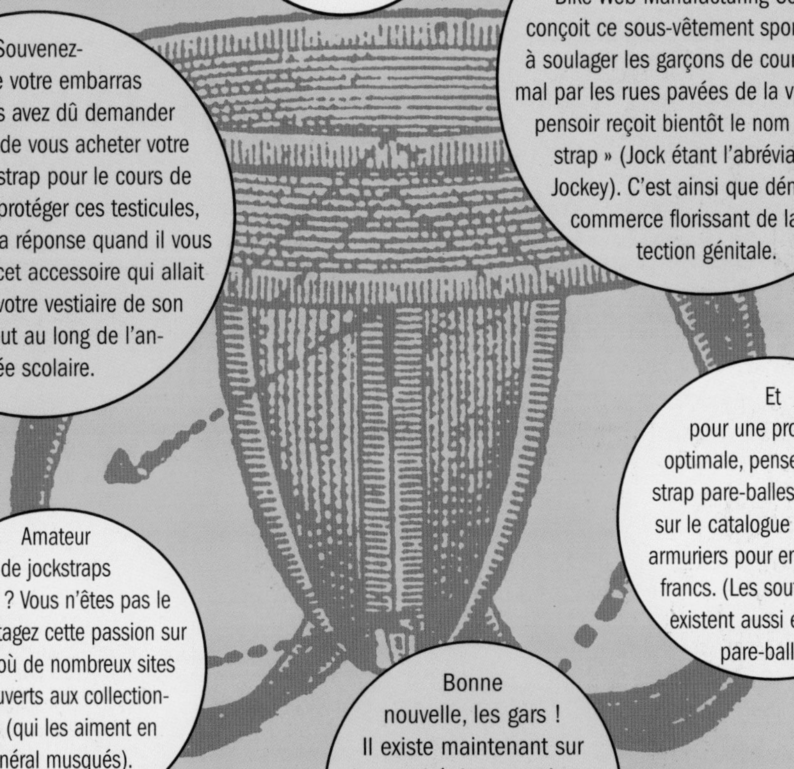

Au cours de sa vie, l'homme moyen fera l'acquisition d'une demi-douzaine de jockstraps.

Le Jockstrap existe depuis 1874. C'est à cette date que la Bike Web Manufacturing Company conçoit ce sous-vêtement sportif destiné à soulager les garçons de courses, mis à mal par les rues pavées de la ville. Ce suspensoir reçoit bientôt le nom de « Jock strap » (Jock étant l'abréviation de Jockey). C'est ainsi que démarra le commerce florissant de la protection génitale.

Souvenez-vous de votre embarras quand vous avez dû demander à votre père de vous acheter votre premier Jockstrap pour le cours de gym. « Il faut protéger ces testicules, fils ». Telle fut sa réponse quand il vous a fait don de cet accessoire qui allait embaumer votre vestiaire de son parfum tout au long de l'année scolaire.

Et pour une protection optimale, pensez au jockstrap pare-balles. Ils figurent sur le catalogue de certains armuriers pour environ 1 800 francs. (Les soutiens-gorge existent aussi en version pare-balles.)

Amateur de jockstraps usagés ? Vous n'êtes pas le seul. Partagez cette passion sur le web où de nombreux sites sont ouverts aux collectionneurs (qui les aiment en général musqués).

Bonne nouvelle, les gars ! Il existe maintenant sur le marché des coussinets conçus pour les femmes, mais destinés à protéger vos bijoux de famille.

« Et à présent,
il est minuscule et
soyeux comme un
petit bouton
de vie ! »

D. H. Lawrence, *L'Amant de Lady Chatterley.*

LA CIRCONCISION PARLONS-EN !

IL Y A VINGT-CINQ ANS, PRÈS DE QUATRE-VINGT-DIX POUR CENT DES NOUVEAUX-NÉS AMÉRICAINS ÉTAIENT PRIVÉS DE LEUR PRÉPUCE SANS QU'ILS AIENT LEUR MOT À DIRE. AUJOURD'HUI, CE PETIT COUP DE SCALPEL EST REMIS EN QUESTION PAR CEUX QUI Y VOIENT UNE ATTEINTE À L'INTÉGRITÉ MASCULINE. LE RETOUR EN FORCE DES PRÉPUCES SOULÈVE DE VIVES POLÉMIQUES. COL ROULÉ OU RAS DU COU, À VOUS DE DÉCIDER !

Les conservateurs : le roi David, Kirk Douglas et le prince Charles – lequel fit appel au premier *mohel* (circonciseur) de Londres – autant de circoncis célèbres, alors pourquoi remettre en question cette tradition millénaire. Les tenants de la circoncision défendent l'idée selon laquelle cette opération serait bénéfique pour la santé. La circoncision permet également de prévenir les risques de cancer du pénis et élimine la Balanite (une inflammation du prépuce et du gland causée dans la plupart des cas par un manque d'hygiène). Certaines recherches médicales ont par ailleurs montré que les hommes circoncis présentaient deux fois moins de risque de contracter herpès, syphilis et sida suite à des rapports sexuels non protégés. Il faut dire enfin que des millions d'hommes sont ravis de voir leur petit champignon exposé à tous vents.

Le club des cols roulés : loin de partager ces arguments, ils considèrent cette pratique comme un acte barbare de mutilation génitale (souvent pratiqué sans anesthésie), gravant dans le cerveau en cours de développement des sensations de souffrance et non de plaisir. Les progrès de l'hygiène ont de plus considérablement réduit les risques de maladies et d'infections du prépuce. Les partisans de l'intégrité du pénis tirent également argument du fait que les terminaisons nerveuses qui innervent le prépuce et le pouvoir de glisse de ce dernier contribuaient pour une grande part au plaisir sexuel de l'homme. En effet, il protège et lubrifie le gland qui, avec la circoncision, devient moins sensible au fil des années. Après tout, demandent-ils, pourquoi se priver de ce morceau de choix ?

Prépuces frais !

Ne vous êtes-vous jamais demandé ce qu'on faisait des prépuces des nouveaux-nés une fois enlevés ? Plus souvent qu'on le croit, ces précieuses rondelles qui évoquent les *calamars à la romaine* échappent à l'incinérateur.

Depuis bientôt vingt ans, des centaines de milliers de prépuces ont été vendus aux compagnies pharmaceutiques et aux laboratoires, lesquels ont besoin de jeunes cellules cutanées pour mener à bien leurs travaux, notamment dans le domaine en pleine expansion de la recherche sur les tissus artificiels. Un morceau de prépuce de la taille d'un timbre-poste contient suffisamment de matériel génétique pour produire environ 200 000 unités de peau artificielle.

D'aucuns prétendent que les perspectives ouvertes par la recherche sur le traitements de brûlures et des cicatrices à partir de cellules du derme et de l'épiderme sont extraordinaires. En revanche, pour ceux qui déjà jugent la circoncision barbare, ce « commerce » des prépuces est tout simplement inadmissible. La question étant de savoir à qui revient le droit de propriété d'un prépuce après que celui a été enlevé ? Et d'un point de vue éthique, est-il normal que les hôpitaux se livrent au commerce des prépuces de nouveaux-nés sans en avertir leurs parents –, et qui plus est en tirent de « juteux » bénéfices ?

quelle les molécules ne peuv
des couches parallèles d'espacement régulier.

Smegma [smɛgma] n.f. ; gr. *smegma* « savon » ♦ Matière blanche, pâteuse, ressemblant au savon mouillé, qui se trouve chez l'homme au fond du repli du prépuce et chez la femme entre les petites lèvres et le clitoris.

C. [smik] n.m — 1968 ; acronyme ♦ Salaire* mi
el de croissance. Touch

Ouah ! J'ai jamais senti un fromage pareil !

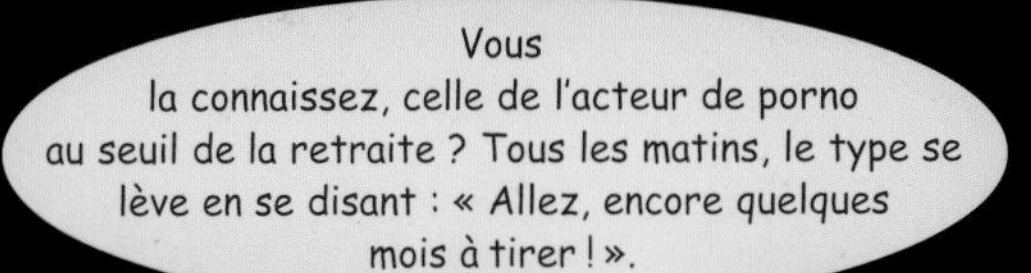
Vous
la connaissez, celle de l'acteur de porno
au seuil de la retraite ? Tous les matins, le type se
lève en se disant : « Allez, encore quelques
mois à tirer ! ».

« Dieu nous a donné un cerveau et un pénis,
mais pas assez de sang pour faire fonctionner
les deux en même temps. »

ROBIN WILLIAMS

DANS CETTE MAISON

NE SONT **PAS** TOLÉRÉS !

Soudainement, vers l'âge de treize ans, la machine à sperme des adolescents se met… en branle. Dopés à la testostérone, ces petits messieurs connaissent des nuits agitées, interrompues par d'incontrôlables pollutions nocturnes qui jaillissent, impromptues, telles des feux d'artifice. Ah ! l'excitation de l'éjaculation (certains adolescents font plus de 10 rêves érotiques par semaine). Oh ! l'embarras de devoir expliquer à maman ces taches suspectes sur les draps et les bas de pyjama.

À notre époque qu'on dit civilisée, les pollutions nocturnes et l'irrésistible appel de la masturbation sont considérés comme un rite de passage aussi naturel que les points noirs ou l'apparition des poils pubiens. Il en était tout autrement à la fin du XIXe siècle ; en Europe et aux États-Unis, les autorités sanitaires soutenaient que le gaspillage du sperme était cause de crétinisme et provoquait à terme la chute des organes génitaux. « La perte des fluides vitaux de l'organisme », affirmait-on alors, conduit invariablement à une mort précoce.

Ces mises en garde sans appel donnèrent naissance à une nouvelle industrie dont l'objectif était de concevoir des dispositifs anti-pollutions nocturnes. Dans leur version soft, ces engins coupaient court à toute velléité d'érection en déclenchant une alarme, empêchant ainsi que ne soit gâchée la précieuse semence. En revanche, il faut avoir une pensée émue pour les pauvres diables qui allaient au lit, équipés du **« Gardien des Songes »**, représenté sur la page ci-contre et breveté en 1905 par le docteur Foote, médecin à New York. Dès qu'une érection s'annonçait, les menaçantes mâchoires d'aluminium remplissaient leur office, transformant à coup sûr les rêves les plus doux en cauchemar bien réel.

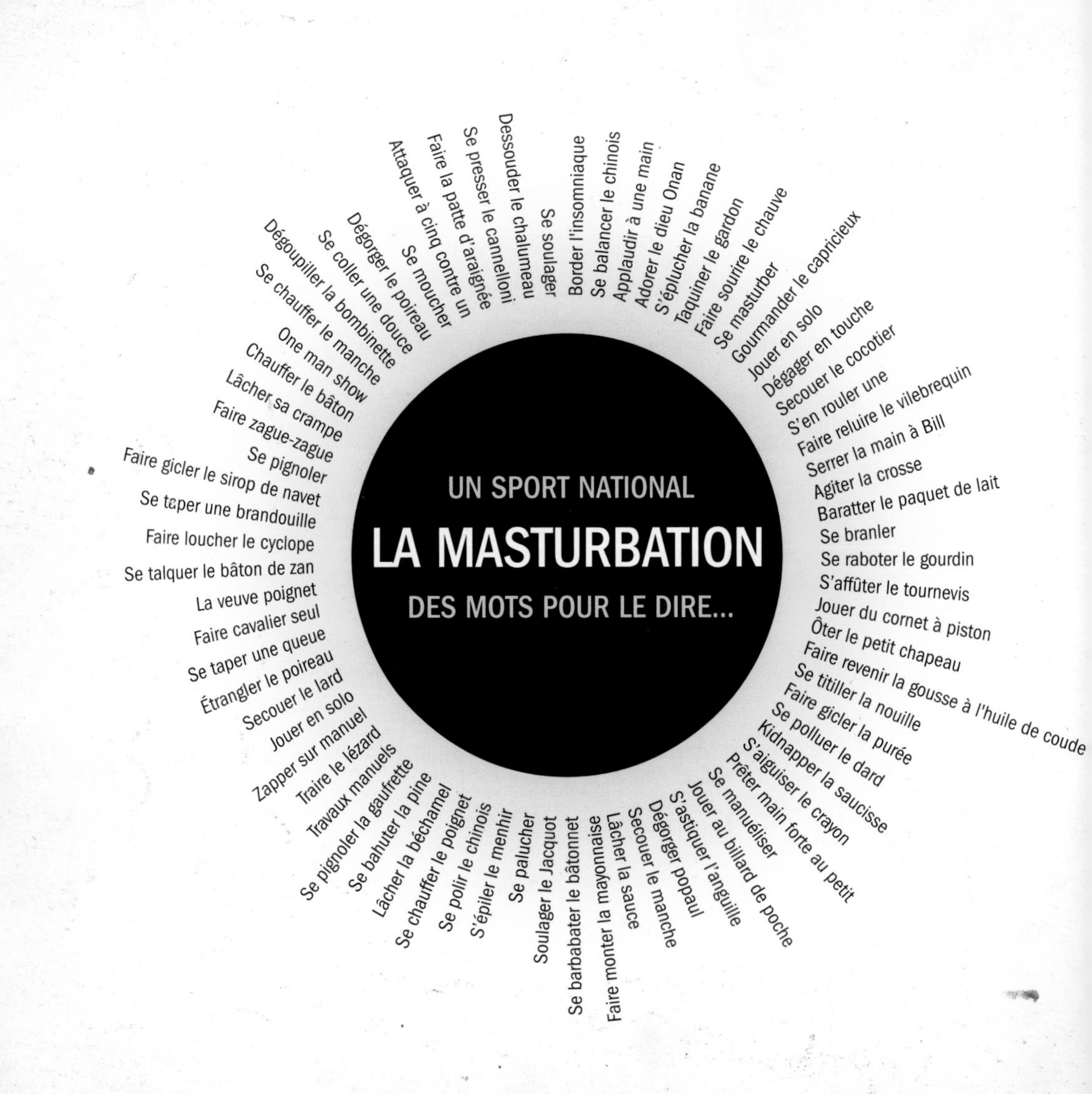
UN SPORT NATIONAL
LA MASTURBATION
DES MOTS POUR LE DIRE...
Faire gicler le sirop de navet
Se pignoler
Faire zague-zague
Lâcher sa crampe
Chauffer le bâton
One man show
Se chauffer le manche
Dégoupiller la bombinette
Se coller une douce
Dégorger le poireau
Se moucher
Attaquer à cinq contre un
Faire la patte d'araignée
Se presser le cannelloni
Dessouder le chalumeau
Se soulager
Border l'insomniaque
Se balancer le chinois
Applaudir à une main
Adorer le dieu Onan
S'éplucher la banane
Taquiner le gardon
Faire sourire le chauve
Se masturber
Gourmander le capricieux
Jouer en solo
Dégager en touche
Secouer le cocotier
S'en rouler une
Faire reluire le vilebrequin
Serrer la main à Bill
Agiter la crosse
Baratter le paquet de lait
Se branler
Se raboter le gourdin
S'affûter le tournevis
Jouer du cornet à piston
Ôter le petit chapeau
Faire revenir la gousse à l'huile de coude
Se titiller la nouille
Faire gicler la purée
Se polluer le dard
Kidnapper la saucisse
S'aiguiser le crayon
Prêter main forte au petit
Se manuéliser
Jouer au billard de poche
S'astiquer l'anguille
Dégorger popaul
Secouer le manche
Lâcher la sauce
Faire monter la mayonnaise
Se barbabater le bâtonnet
Soulager le Jacquot
Se palucher
S'épiler le menhir
Se polir le chinois
Se chauffer le poignet
Lâcher la béchamel
Se bahuter la pine
Se pignoler la gaufrette
Travaux manuels
Traire le lézard
Zapper sur manuel
Jouer en solo
Secouer le lard
Étrangler le poireau
Se taper une queue
Faire cavalier seul
La veuve poignet
Se talquer le bâton de zan
Faire loucher le cyclope
Se taper une brandouille

L'**urètre** est la « nationale 7 » du pénis ; elle s'étend de la vessie au méat. L'urine et le sperme sont transportés par ce conduit, mais jamais en même temps.

La **prostate** est le point G de l'homme. Convenablement stimulée, elle peut procurer un plaisir intense. Cette glande sexuelle de la taille d'une châtaigne produit le liquide séminal qui entre dans la composition du sperme. La dilatation de la prostate peut provoquer une sérieuse gêne en entravant la miction. Pour éviter ce type de problème, ainsi que les risques de cancer de la prostate, il est conseillé de consulter votre urologue une fois par an pour un toucher rectal et un décompte des APS (antigènes prostatiques spécifiques).

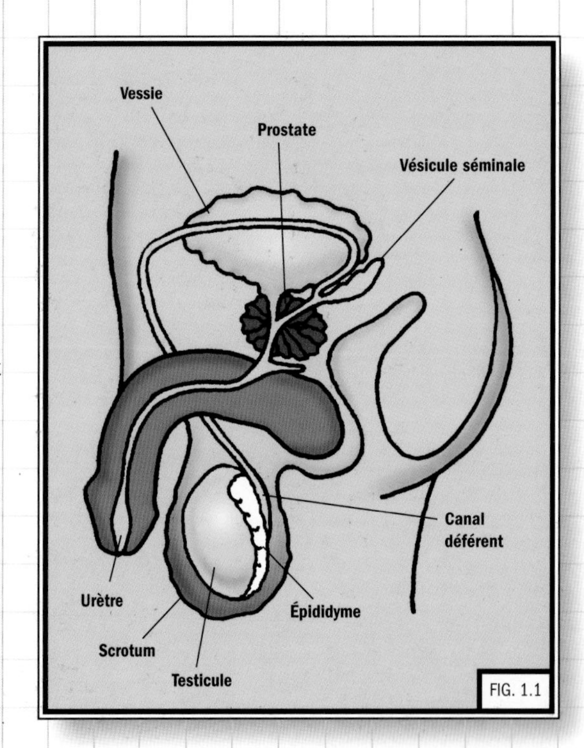

FIG. 1.1

Les deux **canaux déférents** conduisent le sperme des testicules à l'urètre. Le mot vasectomie est formé à partir de vas, « canal » en latin. Cette opération de stérilisation consiste à ligaturer un petit segment du canal : c'est la fin du voyage pour des millions et des millions de spermatozoïdes.

Situé sur le bord supérieur du **testicule**, l'**épididyme** est un petit corps allongé où les spermatozoïdes arrivés à maturité se délassent avant de s'embarquer pour une longue expédition le long des canaux déférents.

Loués soient les **corps caverneux** ou *corpora cavernosa*. Au cours de l'érection, la quantité de sang contenue dans ces deux cylindres spongieux décuple. Ce prodige hydraulique se répète pendant le sommeil. Les érections s'enchaînent ainsi toutes les 70 ou 100 minutes, sans que les rêves érotiques y soient pour quelque chose. C'est une façon pour le pénis de faire le plein de sang neuf et d'oxygène.

Nota bene : ne cherchez pas d'os, il n'y en a pas.

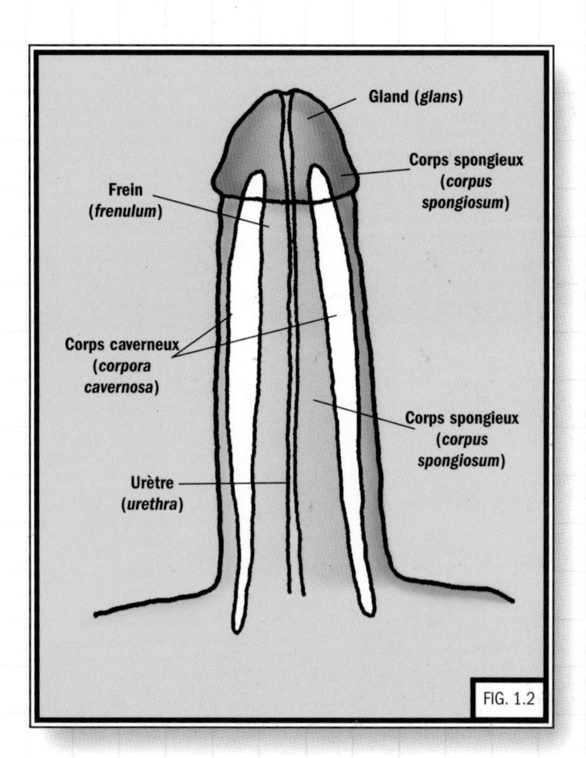

FIG. 1.2

La tête du pénis ou **gland** – du latin *glans* (le gland du chêne) –, est formé par un tissu mou appelé ***corpus spongiosum***.

Encore plus de ***corpus spongiosum***.

Le plaisir authentique ? Situé sous la base du gland, le ***frenulum*** est un point ultrasensible.

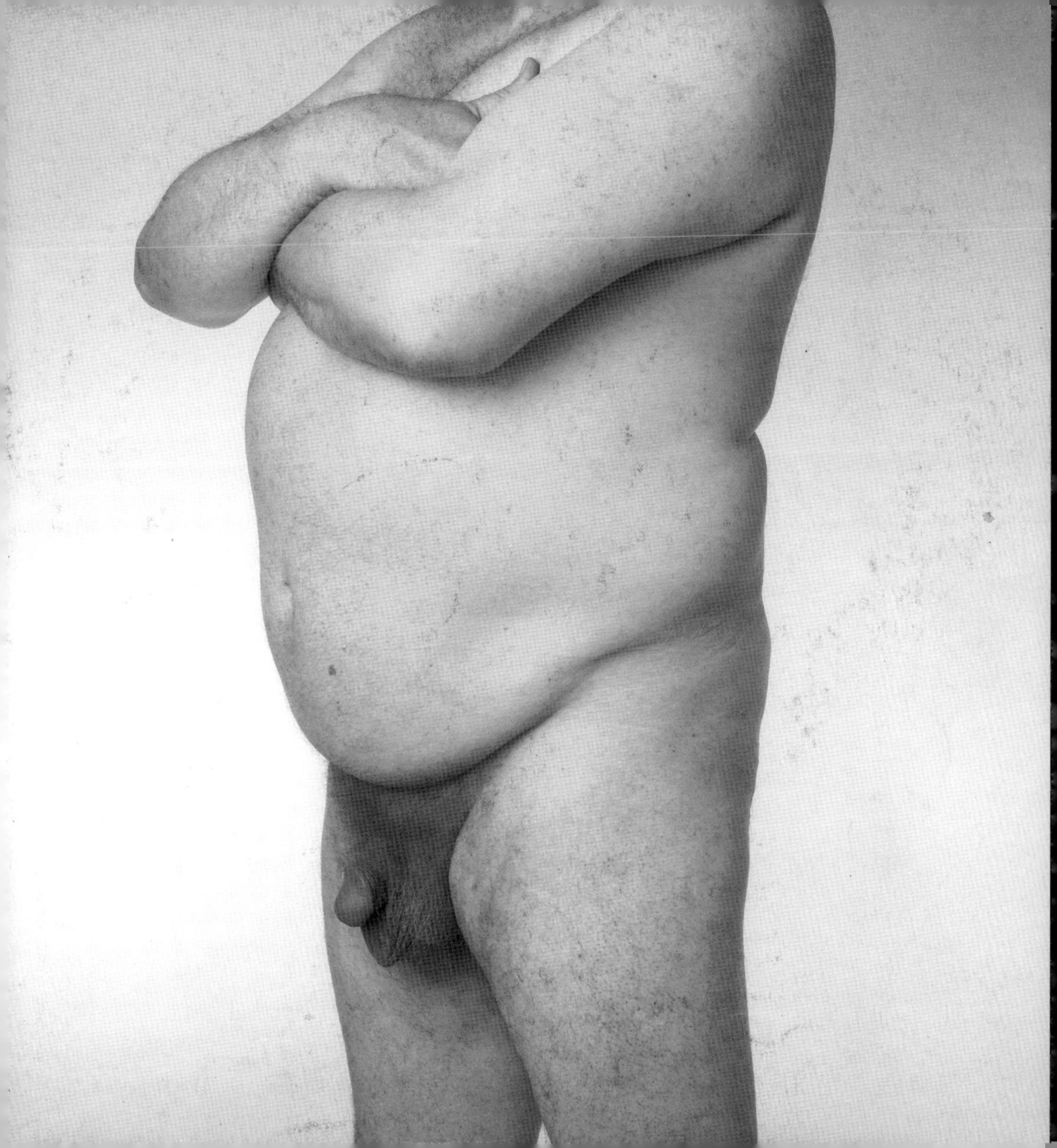

AIDE-TOI, LE CIEL T'AIDERA

Le phantasme est le suivant : Vous êtes chez vous, tout nu, assis sur une chaise avec pour seule compagnie une érection plus qu'honorable. Vous penchez votre tête en avant... et à votre grande surprise, vous parvenez sans effort à faire disparaître votre gland dans votre bouche. Vous vous dites : « Eh bien mon garçon, ce n'était pas si difficile. Pas de problème. Je devrais faire ça plus souvent. » Un phantasme est un phantasme, et la réalité tout autre. À moins d'être né dans une famille de contorsionnistes chinois, sucer votre propre sexe vous donnera bien du fil à retordre. Mais essayez de trouver un type qui n'a pas essayé au moins une fois !

Une fois, j'avais 17 ans, je me suis touché la queue avec la pointe du nez. Aujourd'hui, j'ai 43 ans, et parfois je me chope un lumbago en me torchant les fesses.

Alex, Paris.

J'aimerais vraiment pouvoir me sucer.
Pour moi, ce serait faire un truc de pédé sans être pédé.

Antoine, Bourges.

Ma copine m'a promis de m'amener à Tahiti si j'arrivais à me sucer.
Pour l'instant, je ne suis pas allé plus loin que Disneyland.

David, Amiens.

La reine d'Angleterre, en visite dans l'un des meilleurs hôpitaux parisiens, parcourt les différents services. En passant devant une chambre, elle surprend un malade en pleine séance de masturbation.

« Oh my God – dit la reine– c'est une honte, que signifie tout ceci ? »

« Je suis confus votre Majesté – répond le médecin chargé de la visite –, mais cet homme souffre d'un mal terrible ; ses testicules se remplissent si vite que s'il n'éjaculait pas cinq fois par jour, elles exploseraient et il mourrait sur-le-champ. »

« How terrible ! s'exclame la reine. »

À l'étage suivant, ils passent devant une chambre où une infirmière pratique une fellation sur un malade.

« My Goodness – s'écrie la reine – qu'est-ce donc que ceci à présent ? »

« C'est un cas similaire – répond le docteur – mais celui-là a une mutuelle. »

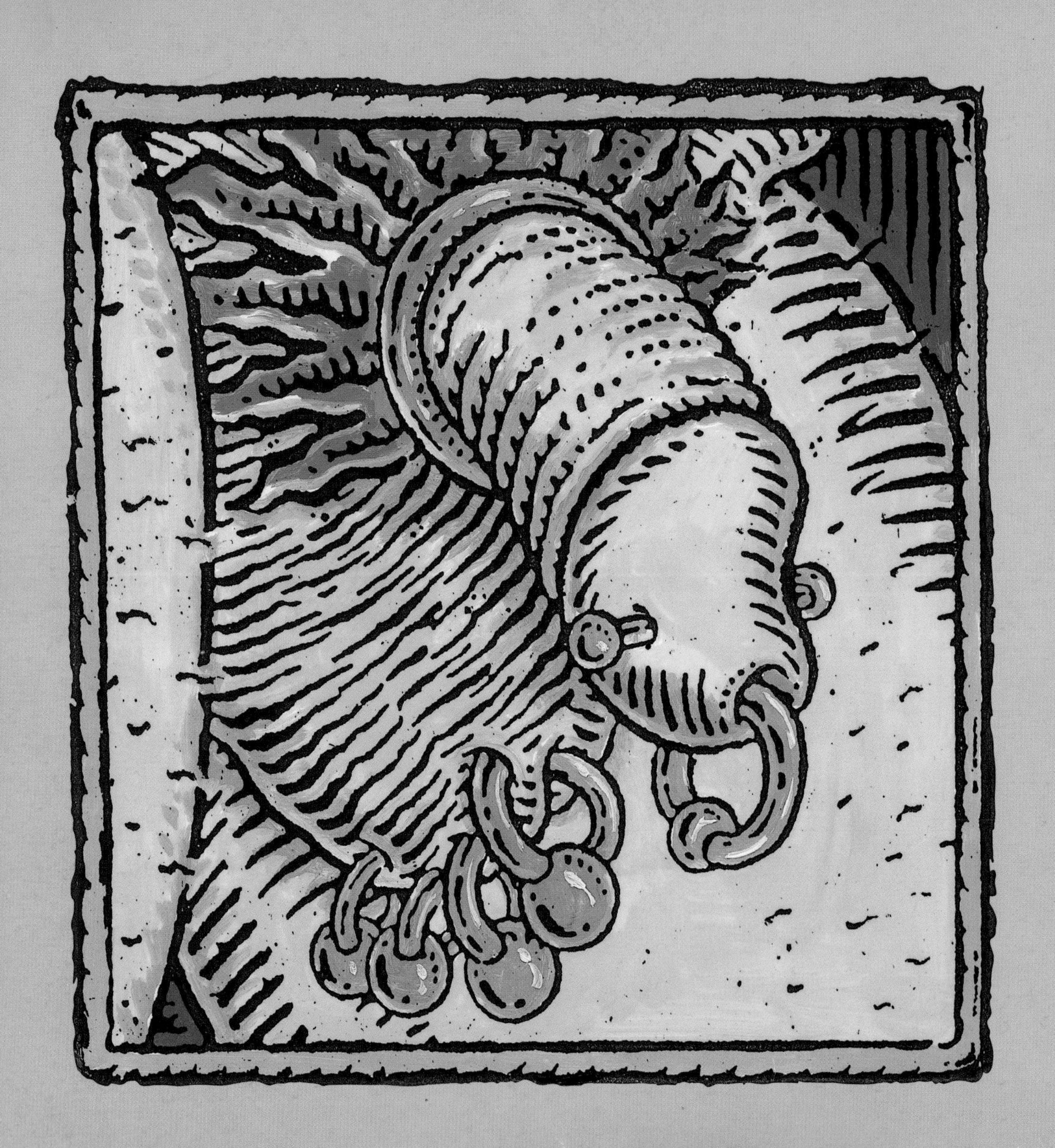

Prince Albert, petit coquin

« OUILLE OUILLE OUILLE ! »

C'est la réaction normale de quiconque voit un pénis piercé pour la première fois. Mais quel rapport avec l'époux de Sa Majesté la reine Victoria ?

On a retrouvé documents et journaux intimes prouvant que de nombreux gentlemen de l'époque victorienne arboraient un gland piercé au moyen de ce que l'on appelait alors un « dressing ring », anneau destiné à arrimer l'attribut viril de ces messieurs à la jambe gauche ou droite de leur pantalon, afin d'éviter tout renflement inconvenant (réjouissez-vous d'être né quelques années plus tard !).

Bien qu'aujourd'hui, on tire gloire des renflements en question, la pratique du piercing n'a jamais fait tant d'adeptes. Les convertis prétendent que le piercing décuple l'orgasme en stimulant les terminaisons nerveuses situées dans le gland. Quant à leurs partenaires, elles prétendent éprouver davantage de plaisir, surtout au moment de l'orgasme. Pour dire les choses brutalement, beaucoup de femmes ne songeraient pas un seul instant à perdre leur temps avec un homme non piercé.

Si vous comptez investir dans cet ornement d'un genre spécial, qui se porte au-dessous de ceinture, il est conseillé d'acquérir le lexique de base. Le piercing du pénis classique, traversant le gland et l'urètre, est appelé un *prince Albert*. La sorte de barre d'haltères traversant le gland est un *ampallang* ; placé à la verticale c'est un *apadravaya*. Égaillez votre scrotum avec quelques *hafadas* et votre périnée avec des anneaux *guiche*. N'oubliez pas votre *cock ring* favori (littéralement « anneau de queue »), destiné à enserrer les testicules… et vous voilà parer pour toutes les aventures. Attendez-vous à quelques scènes embarrassantes dans les aéroports quand vous passerez le portillon de sécurité.

Combien ça coûte ? Les prix pratiqués au studio Gotham à New York tournent autour de 20 $ pour un piercing du pénis, et les accessoires en acier inoxydable sont proposés à partir de 25 $. Outre-Manche, au studio Perforations à Brighton, un *prince Albert* vous coûtera 20 £, anneau compris.

Ça fait mal ? Si vous vous tenez déjà l'entrejambe rien qu'en lisant ces lignes, sachez que la perforation du gland est moins douloureuse que celle du têton.

Et pour pisser ? Quelques conseils. La courbe parfaite de votre jet ne sera plus qu'un lointain souvenir, votre sexe ressemblant désormais davantage à une pomme d'arrosoir. Approchez-vous plutôt tout près de la cuvette. Attention, les premiers jets – piquants comme des aiguilles – risquent de vous « faire jouir ».

Règles de bienséance devant l'urinoir

Évitez de siffloter *Mon Homme* pendant que vous urinez.

Évitez de lancer à votre voisin : « Elle est chouette votre montre ! ».

Si vous devez péter, de grâce soyez bref.

Si d'aventure vous êtes obligé d'utiliser l'urinoir réservé aux petits garçons, ne vous mettez pas à genoux.

Si vous sentez que votre voisin éprouve quelque gêne à uriner en public, abstenez-vous de tout commentaire du type : « Tout ça, c'est dans la tête ».

Faites preuve de courtoisie avec les gens qui attendent leur tour.
Ne secouez pas votre engin plus de trois fois.

Ne monopolisez pas le sèche-mains électrique pour essayer de faire disparaître les quelques gouttes tombées sur votre pantalon ; mais dissimulez cette petite catastrophe derrière un quotidien sérieux ou votre manteau en cachemire.

VOUS EN AVEZ ASSEZ DE VOS VIEILLES POUPEES ?
DITES BONJOUR À BILLY.

ORGASMES
Jamais deux sans trois...
MULTIPLES

Abandonnez vos mauvaises habitudes. Il n'est pas nécessaire d'éjaculer pour éprouver un orgasme. Approchez-vous au maximum du « point limite », arrêtez immédiatement et laissez l'excitation décroître. Puis recommencez l'opération. Après tout, rien ne presse !

Branlette à sec. Faites vous une petite gâterie (ou demandez un coup de main à votre partenaire). Juste avant l'éjaculation, pressez fermement le gland avec deux doigts jusqu'à ce que le désir perde de son intensité. Reprenez-vous en main. Pressez. Voilà, vous avez tout compris.

Les femmes n'ont pas le monopole du plaisir. Alors que la majorité des hommes pensent à l'orgasme au singulier, nombre d'initiés (très heureux de l'être) éprouvent six orgasmes, voire plus, au cours d'une seule séance. Voici quelques-uns de leurs secrets.

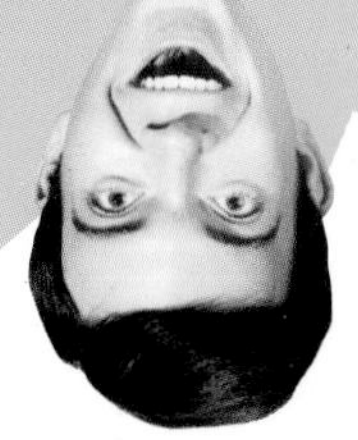

Exercices de Kegel. Commencez par renforcer vos muscles pubococcygien en jouant à « stop-pipi » à chaque fois que vous urinez (5 fois environ). En contractant ces muscles juste avant de jouir, les hommes sont à même d'éprouver une série de mini-orgasmes suivie par une spectaculaire éjaculation.

Tripotez vigoureusement vos testicules. En les tirant vers le bas ou en les emprisonnant entre vos jambes au moment opportun, vous pourrez retarder l'éjaculation. Conseil : l'utilisation du caméscope est déconseillée lors de vos premières séances d'entraînement.

Qui a dit que les capotes n'avaient aucun sens de l'humour ?

PEUT-ON SE FIER AUX
CAPOTES?

Dur, dur ! pour les anglaises.

En matière de contrôle de qualité, il n'existe qu'une seule et unique devise : la perfection ou rien. (Il serait peut-être temps que l'industrie du préservatif et les constructeurs automobiles aient une petite conversation.) Les plus grandes marques de préservatifs se montrent inflexibles quant à la qualité de leur produits en se soumettant aux normes drastiques édictées par l'International Standards Organization (ISO).

Test n° 1 : L'Électrochoc. Chaque préservatif sortant de la chaîne est étiré sur une forme métallique dans laquelle on fait passer un fort courant électrique. En une fraction de seconde, tout défaut dans le film en latex est ainsi localisé, et le préservatif éliminé.

Test n° 2 : Le Zeppelin. Moitié science, moitié bazooka. Ce test consiste à mettre à l'épreuve la résistance et l'élasticité du préservatif. Pour se faire, on prélève un échantillon dans chaque lot et on insuffle un volume d'air donné jusqu'au point d'éclatement. Si les échantillons éclatent trop facilement, on détruit souvent toute la production.

Test n° 3 : Histoire d'eau. L'échantillon est rempli de 300 millilitres d'eau et suspendu afin de repérer des fuites éventuelles. Après quoi, on dispose les préservatifs sur du papier buvard à la recherche d'humidité. Si la moindre trace apparaît, il y a de fortes chances pour que tout le lot soit mis au rebut.

Test n° 4 : Le Vieux Schnock. Les échantillons sont vieillis artificiellement à haute température. On peut ainsi éprouver leur fiabilité au terme de leur « durée de vie », laquelle est de cinq ans. Et les vieux débris qui ne réussissent pas ce contrôle technique ? Pas de séjour en maison de retraite, mais un aller simple, direction la poubelle.

« Les fumeurs
présentent deux fois
plus de risques que
les non-fumeurs
de devenir
impuissants. »

Quand les érections partent en fumée.

Nous avons tous en tête ce cliché hollywoodien : après des ébats torrides, un couple allume une cigarette. Quand on sait que le tabagisme est l'une des principales causes de l'impuissance et contribue à réduire la fertilité masculine, cette image paraît plutôt ironique.

Des études ont prouvé que les fumeurs présentaient deux fois plus de risques que les non-fumeurs de devenir impuissants... une vérité qu'il serait bon d'ajouter aux avertissements explicites figurant sur les paquets de cigarettes, mais que les fumeurs ignorent superbement. La fumée endommage les vaisseaux du pénis, entravant l'afflux sanguin nécessaire à l'érection. Ces vaisseaux étant beaucoup plus étroits que les veines conduisant au cœur, le pénis est la première victime des effets nocifs du tabac. Une déficience de l'érection doit vous alerter ; encore quelques cendriers, et c'est le cœur qui vous jouera un mauvais tour.

Une note d'espoir néanmoins. Si la majorité des fumeurs, notamment ceux qui ont moins de 30 ans, restent insensibles aux avertissements concernant les maladies cardiovasculaires et continuent de s'adonner à leur vice, la crainte de voir leur vie sexuelle menacée fait de nouveaux convertis à la cause de la lutte anti-tabac. À vous de choisir : un paquet ou deux tous les jours ou des journées entières à faire l'amour.

Un type se présente à la réception d'un grand hôtel pour demander la clé de sa chambre. Son portable se met à sonner ; et alors qu'il fourrage dans la poche de sa veste, son coude heurte malencontreusement la poitrine de la femme qui se tient juste devant lui. Échange de regards embarrassés. L'homme se tourne vers elle et lui dit : « Mademoiselle, si votre caractère est aussi doux que vos seins, je sais que vous me pardonnerez. » Et la femme de répondre : « Si votre queue est aussi dure que votre coude, je suis chambre 827. »

« À mon âge, je donnerais cher pour avoir le bâton. »

RODNEY DANGERFIELD

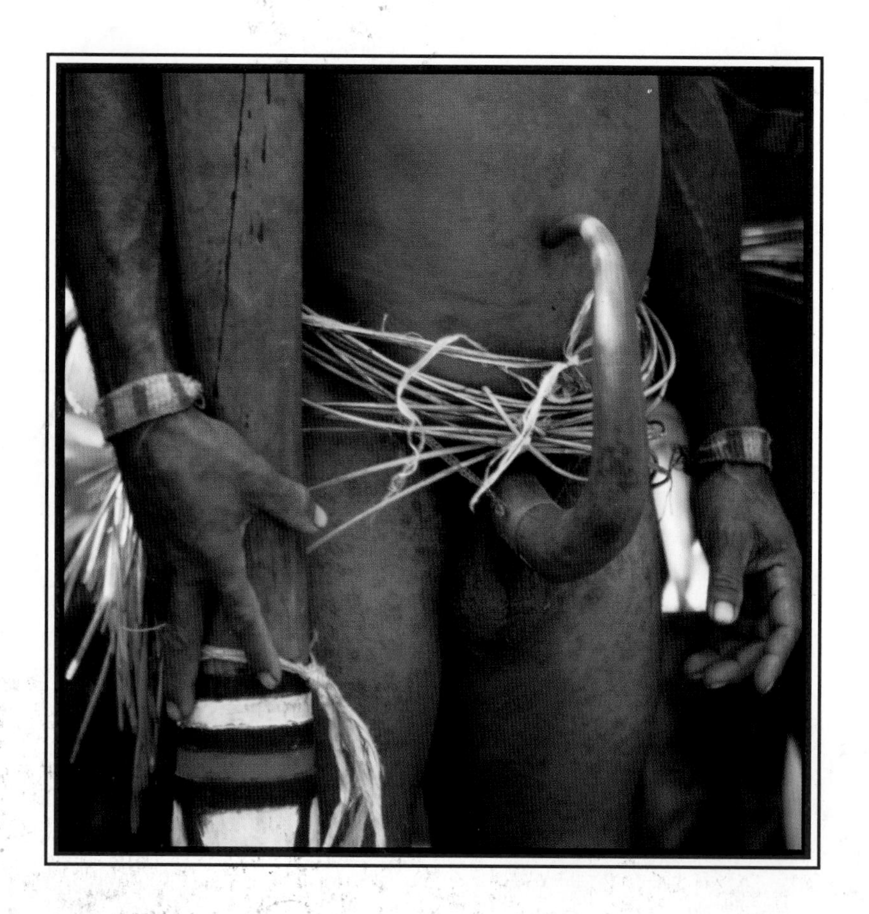

Je me sentirais perdu. Ce serait comme de perdre mon meilleur ami.

Claude, Montpellier.

Si je

Je crois que ma femme pousserait un soupir de soulagement parce qu'elle ne serait plus réveillée tous les matins par mon sexe turgescent pointé dans son dos.

Bertrand, Nice.

Je sais que ça peut sembler bizarre, mais je serais sans doute un meilleur amant. Je m'occuperais moins de ma queue et plus de ma copine ; je l'embrasserais davantage, je lui ferais des massages, je serais plus attentif. Elle serait peut être plus heureuse au lit, quant à moi, ça reste à voir.

Paul, Chartres.

N'AVAIS pas de PENIS

Je ne saurais plus où me gratter.

Fred, Strasbourg.

Je crois que mon statut social en prendrait un coup.
Pour moi, c'est clair : bite, couilles, testostérone et pépettes, c'est tout un.
Pas de pénis, pas de fauteuil en cuir.
C'est pas vrai ce que je dis ?

David, Antibes.

Si j'avais un pénis...

Après avoir longtemps traîné avec une bande de garçons, je les suivrais aux toilettes, je me mettrais debout face à l'urinoir, je sortirais mon oiseau et je pisserais tout comme eux. Est-ce que ça les choquerait ? Je ne ferais peut-être que confirmer ce que certains d'entre eux supposaient déjà.

JEANNE, ORLÉANS.

Doucement, très, très doucement, je sodomiserais mon petit copain jusqu'aux couilles.

HÉLÈNE, NÎMES.

La première chose que je ferais, c'est faire l'amour à une autre femme. Mon Dieu, ça serait comme de me baiser moi-même... en sachant exactement ce qui m'excite, quand ralentir, accélérer, ralentir à nouveau. La rendre folle avec ma queue. Quel pied !

AGNÈS, MARSEILLE.

Ce qui m'exciterait le plus, ce serait mes couilles. Je voudrais de gros testicules velus. Je les balancerais d'avant en arrière. Je les comprimerais dans ma culotte en dentelle et les ferais pendre de part et d'autre. Mon chat les lécherait. Mais plus amusant encore, ce serait la tête de mon esthéticienne au moment où j'écarterais les jambes pour me faire épiler le maillot.

ARLETTE, PARIS.

J'irais pisser dans les bois, debout contre un arbre. Et souvent. J'ai toujours voulu faire ça.

LISE, CANNES.

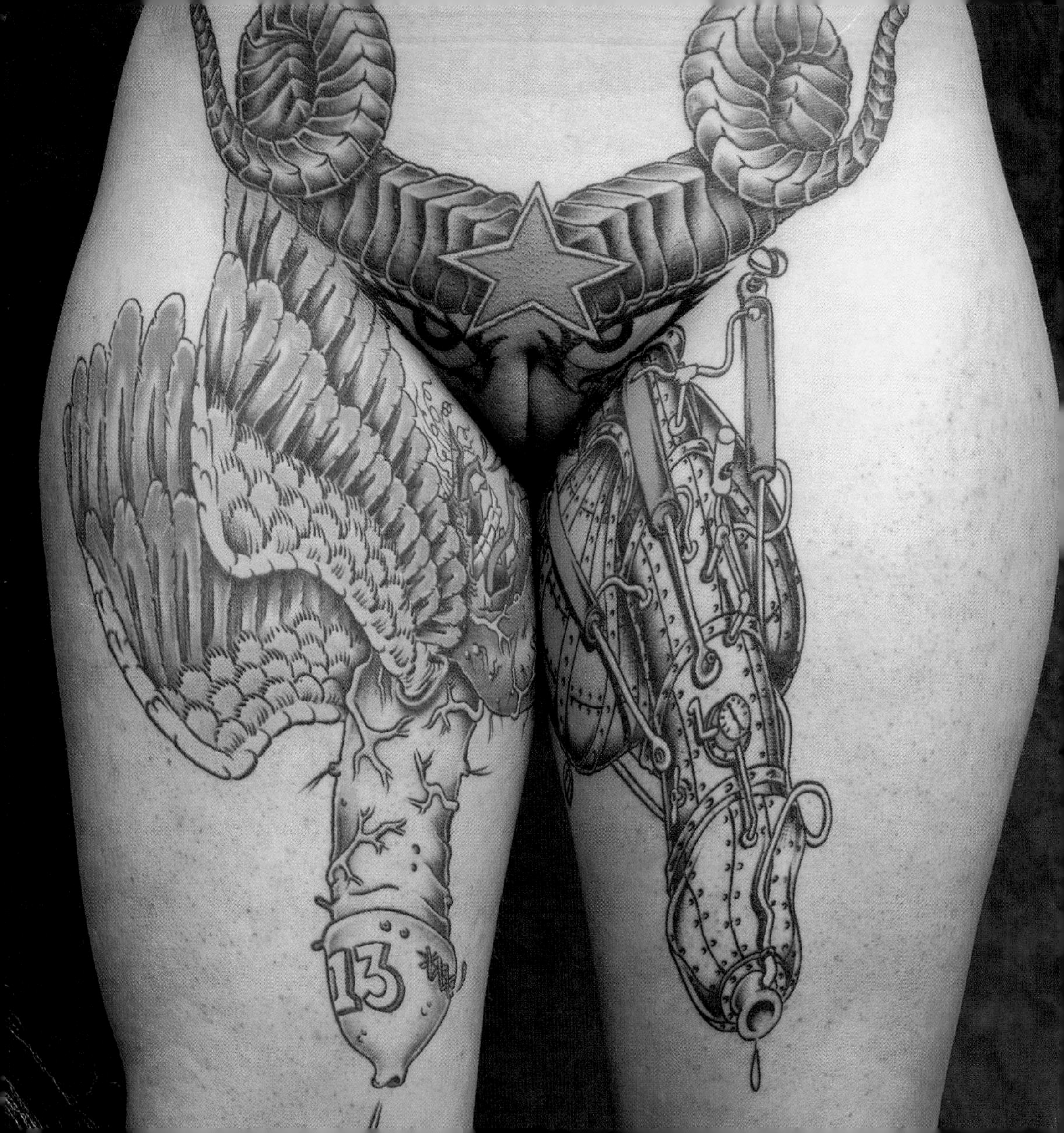
13

Si cette femme avait frappé à la porte de Sigmund Freud, celui-ci eut été aux anges. Au tournant du siècle, le fondateur de la psychanalyse était convaincu que les petites filles opéraient une réaction de rejet vis-à-vis de leur propre organe sexuel, dès qu'elles apercevaient le pénis de leur père ou de leur frère. Les filles, explique Freud, nourrissent un sentiment intense de jalousie pour le phallus, croyant que leur propre pénis a été castré par leur mère. À la recherche du pénis perdu, la petite fille se focalise finalement sur celui de son père. Plus tard, devenue femme, elle se consolera avec les membres intacts d'autres hommes.

Naturellement, à l'époque de Freud, le corps médical – exclusivement masculin –, tira à boulets rouges sur cette théorie farfelue. De nous jours, l'envie de pénis est toujours vivace, et paradoxalement chez les hommes, homos et hétéros confondus. Il n'y a qu'à surprendre les conversations dans les vestiaires : « Dis, vise un peu l'engin de ce nabot ! », ou encore « Regarde-moi ces braquemarts sur l'écran... ça va, ça vient, de vrais pistons. » ; « Mon Dieu, donnez-moi encore deux ou trois centimètres, s'il vous plaît. »

XXL Les femmes préfèrent-elles les GROSSES ?

Bien entendu, nombreuses sont celles à être totalement fascinées par la taille. Leur phantasme : un énorme chibre tumescent. Mais la majorité des femmes se satisfont d'un pénis de taille moyenne et d'un amant attentionné capable d'en tirer le meilleur parti. Dans la mesure où l'essentiel du plaisir féminin est éprouvé au niveau de la région vulvaire – formée par le clitoris, les grandes et les petites lèvres –, laquelle concentre la plupart des terminaisons nerveuses, la largeur du pénis s'avère plus déterminante que sa longueur.

« Oh oui mon grand, oh oui, prends-moi fort », suppliait la bouteille de lait vide que j'avais dissimulée dans la poubelle du sous-sol, pour m'exciter après l'école, mon membre enduit de vaseline. « Viens, mon grand, oh oui viens », hurlait la tranche de foie devenue folle que, dans ma vicieuse ivresse, j'avais rapportée un soir de chez le boucher et que, croyez-le ou non, j'avais violée derrière un panneau publicitaire, sur le chemin de ma leçon de *bar mitzvah*.

Philip Roth, *Portnoy et son complexe.*

L'irrésistible foie haché de tante Miriam

- 1 gros oignon haché
- 2 cuillerées à café de graisse de poulet
- 1 livre de foie de volaille
- Sel et poivre
- 2 œufs durs finement hachés
- Graisse de poulet à volonté

Faire chauffer la moitié de la graisse de poulet dans une petite poêle. Ajouter le foie et faire revenir jusqu'à ce qu'il soit bien cuit. Retirer le foie. Faire chauffer le reste de la graisse dans le même récipient à feu doux. Ajouter l'oignon et laisser cuire jusqu'à ce qu'il soit bien moelleux.

Avec un hachoir à viande, hacher la viande et l'oignon. Si vous n'avez pas de hachoir, vous pouvez toujours utiliser un de ces curieux robots électriques. Rappelez-vous mes chéris, le mélange doit être grossier et non crémeux.

Verser le tout dans un saladier. Ajouter les œufs. Assaisonner à volonté. Saler et poivrer (votre oncle Izzy, paix à son âme, préférait quand je rajoutais un petit peu de graisse de poulet).

Pour 12 personnes

Encore une douzaine, Casanova ?

« J'ai aimé les femmes passionnément », écrivait Giacomo Casanova (1725–1798) dans ses mémoires en douze volumes intitulées *Histoire de ma vie*. Soldat, magicien, flambeur, espion et traducteur de l'Iliade, Casanova reste surtout cet infatigable séducteur qui écumait les capitales européennes à la poursuite de la fortune, du plaisir... et d'huîtres fraîches et charnues.

On a toujours prêté aux huîtres des vertus aphrodisiaques ; et Casanova en consommait paraît-il jusqu'à quatre douzaines chaque jour en guise de petit-déjeuner. Il prenait sa collation dans son bain en galante compagnie, avec sa favorite du moment. Comment expliquer sa passion pour l'huître ? Est-ce la forme de ce mollusque bivalve suggérant le contour d'une vulve de femme qui excitait son imaginaire ? Où savait-il que l'huître, riche en zinc, favorisait la production de sperme et de testostérone ?

« ...nous batifolions en échangeant les huîtres que nous avions l'un et l'autre en bouche. Elle me donna la sienne sur le bout de la langue tandis que je portai la mienne à ses lèvres ; il n'existe pas de jeu plus voluptueux entre deux amants... »

Giacomo Casanova, *Histoire de ma vie.*

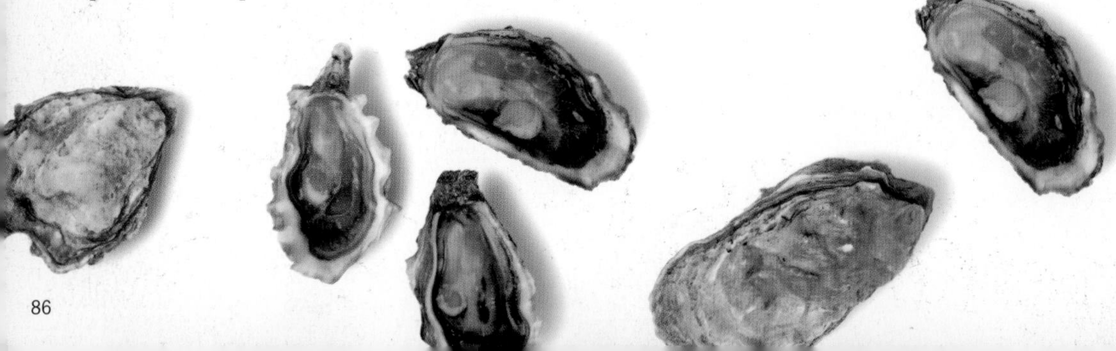

UN DÎNER MITONNÉ À LA MAISON
(DONT VOUS ÊTES LE DESSERT)

SE FAIRE FAIRE UN SHAMPOOING PAR CELUI
OU CELLE QUE VOUS AIMEZ

UN COUP VITE FAIT DANS L'ASCENSEUR

UNE BONNE CLAQUE SUR LES FESSE

DÉCOLLAGES GARANTIS

QUELQUES PHRASES COCHONNES
PENDANT L'AMOUR

SE FAIRE LÉCHER LES AISSELL

UN SOURIRE RAVAGEUR

LE MÉLANGE ENIVRANT DU PARFUM ET DE LA SUEUR

SE FAIRE ARRACHER SON CALEÇON
(MARCHE AUSSI POUR LES SLIPS)

EXPLORER LES TROIS ORIFICES NATURELS
DÈS LE PREMIER SOIR

UN MASSAGE COMPLET SUR L'HERBE FRAÎCHE

L'EXCITATION D'UNE AVENTURE
EXTRACONJUGALE

FAIRE L'AMOUR DANS UN HAMAC

SE FAIRE MATER PAR LES VOISINS
EN PLEINE ACTION

LE CONTACT SENSUEL DES DRAPS DE SATIN

UNE PROPOSITION TRÈS MALHONNÊTE
SUSURRÉE À L'OREILLE

FAIRE L'AMOUR AU COIN DU FEU

UN ORTEIL BALADEUR

SOUPIRS, RÂLES ET
GÉMISSEMENTS

DÉSHABILLER VOTRE PARTENAIRE
TRÈS, TRÈS DOUCEMENT

LE SON LANGOUREUX D'UN SAXOPHONE

FAIRE L'AMOUR DANS LES DUNES

UN BAISER SANS FIN

UNE BOÎTE PLEINE DE GADGETS

« Puis Bahloul introduisit son membre dans le vagin de la fille du Sultan, laquelle se plaça sur lui à califourchon de manière à ce qu'il la pénétrât entièrement, jusqu'à disparaître totalement dans son écrin de braise [...]. Elle commença alors à se mouvoir de bas en haut et de haut en bas, en agitant ses hanches en tout sens ; on avait jamais vu pareille danse. »

D'après la traduction anglaise de Sir Richard F. Burton : *Perfumed Garden,* de Sheik Nefzaoui.

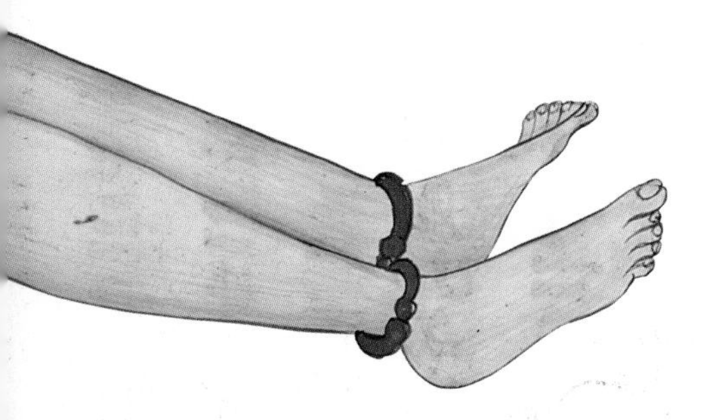

CES COCHONS DE GRECS

Imaginez le service en porcelaine de votre grand-mère version « strictement réservé aux adultes » et vous comprendrez pourquoi les plus grands musées du monde ont longtemps mis au secret vases et urnes d'un genre plutôt particulier.

Pour les Grecs, le phallus était le symbole même de la vie et un thème décoratif très prisé. Le pénis idéal n'était pas circoncis et de taille... modeste. Cette dernière caractéristique était, d'après Aristote, un gage de fertilité, la semence ayant moins de distance à parcourir pour rejoindre l'utérus.

Comme vous pouvez l'imaginer, les Grecs disposaient de tout un éventail de représentations phalliques. On a retrouvé des vases où sont peints de séduisants éphèbes ; leur prépuce recouvrant le gland, attaché avec un lacet de cuir (pratique qu'on appelle infibulation, au cas où vous seriez intéressé.) Des satyres, précédés par leur sexe turgescent, poursuivent des prostituées. Des femmes esseulées s'amusent avec les derniers godemichés en provenance de Miletus, la capitale du godemiché de la civilisation hellénique. Des scènes d'orgie ornent les amphores ; et sur certains plats, des hommes mariés et leurs jeunes amants s'ébattent librement.

Les choses de la vie. Pour les anciens Grecs, elles n'étaient jamais très loin du vaisselier.

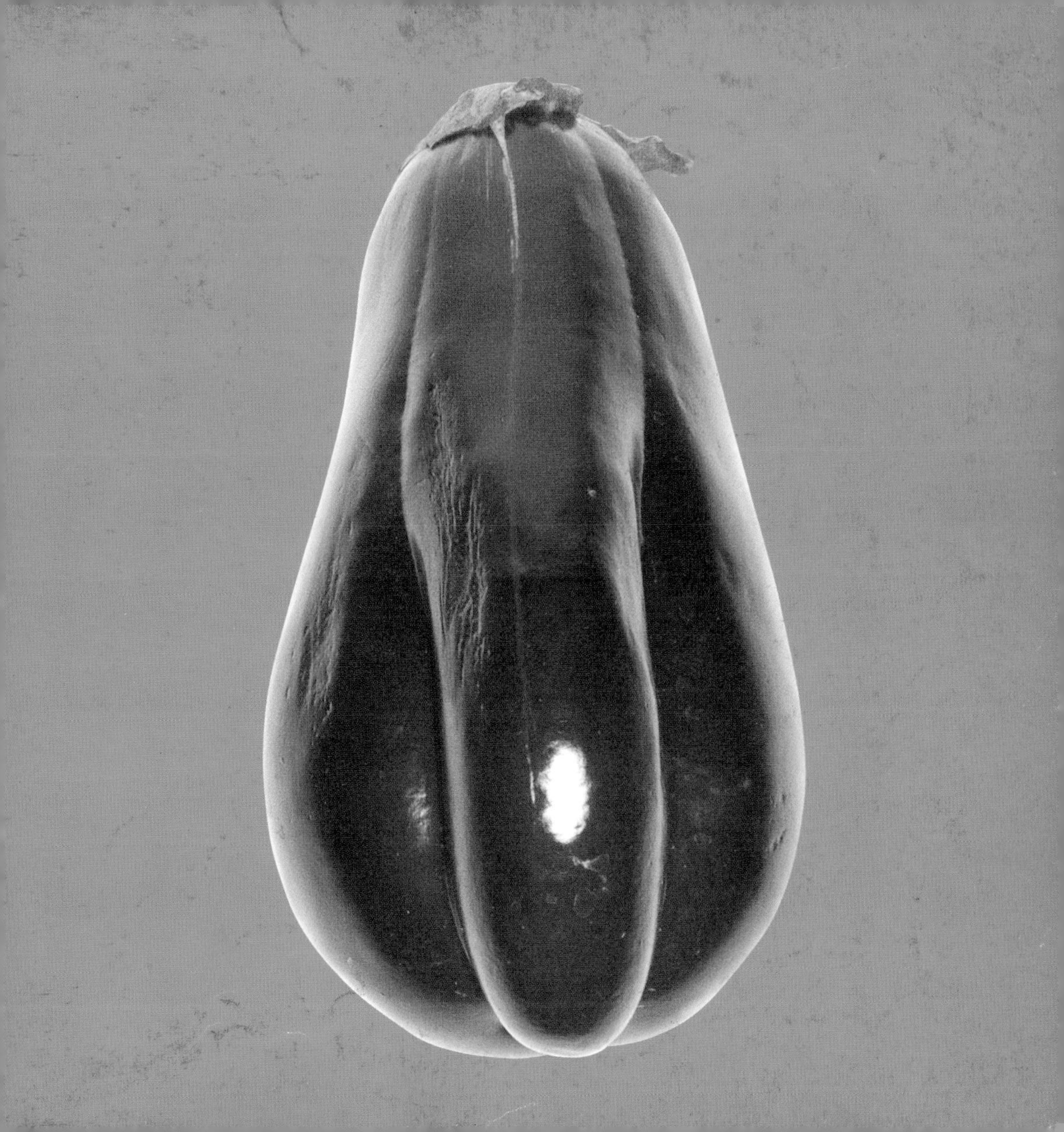

Le Japon a davantage à offrir que les karaokés, les boutiques Louis Vuitton et les chaînes de montage des usines Toyota. Le pays du soleil levant a su cultiver d'étonnantes traditions.

HOUNEN MATSURI

Chaque année, le 15 mars précisément, les habitants de Komaki, un minuscule village situé à quelque 450 kilomètres au sud de Tokyo, célèbrent un festival unique en son genre, appelé *Hounen Matsuri*. Sur plus d'un kilomètre, la route qui mène au temple shinto de Tagata Jinja résonne au son des flûtes en bambou, des encouragements d'une foule ivre de saké, et des mélopées des porteurs convoyant un immense phallus en érection. L'impressionnant spécimen photographié ci-contre a été taillé dans un tronc de cyprès par un sculpteur nonagénaire. Ce mégaphallus pesant environ 400 kg sera présenté au temple, en guise de prière symbolique pour *Hounen*, une année fertile pour les récoltes et toutes les créatures vivantes.

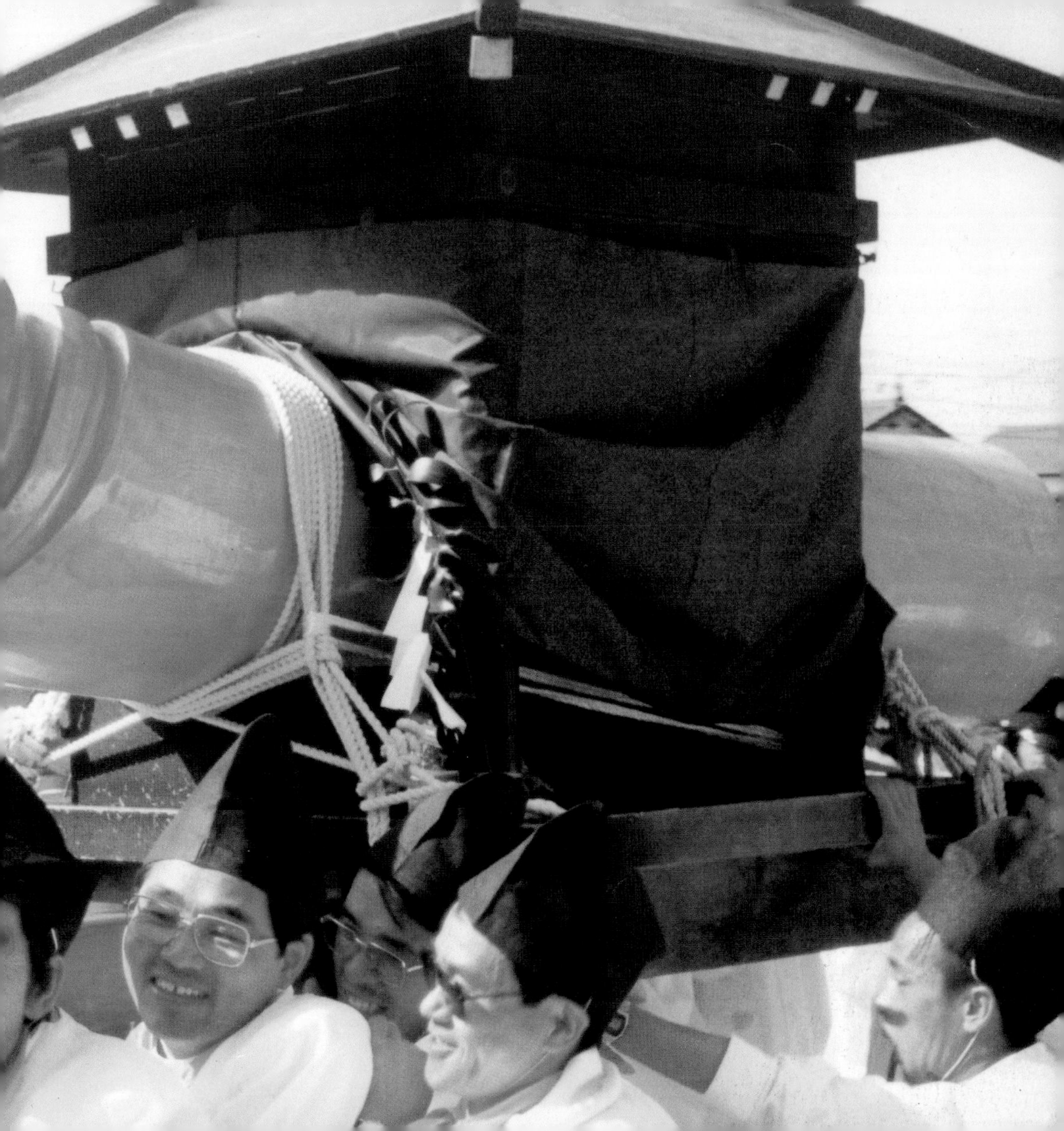

LA FAUNE EN FOLIE !

Les **gorilles,** imposants de par leur corpulence (près de 300 kg), ont en revanche des attributs sexuels fort discrets (5 cm). Ils n'en ont pas grand usage – une fois par an en moyenne –, dans la mesure où les femelles ne sont en chaleur que quelques jours tous les quatre ans.

Les **baleines** sont pourvues de pénis mesurant près de trois mètres... qui dit mieux ? Elles se reproduisent une fois par an et, entre deux accouplements, dissimulent leur encombrant matériel dans leur abdomen.

Les **porcs** sont de vrais... cochons, disposant d'un tire-bouchon de plus de 45 centimètres. Avec pareil engin, aucune truie n'a jamais eu à demander : « Alors, tu y es ? ».

Si votre sexe en érection mesurait 1 mètre 30 et pesait près de 50 kilos, il traînerait probablement à terre. Le pénis de l'**éléphant** est doté d'une sorte de dispositif de téléguidage qui lui permet de balancer gracieusement ses membres antérieurs sur le dos de sa douce amie pendant que son pénis accomplit sa besogne. En moins d'une minute, l'affaire est dans le sac. La gestation dure 22 mois.

S'élevant à plus de 6 mètres au-dessus du sol et pourvue d'un sexe de 60 centimètres en érection, la **girafe** mâle sait se distinguer du commun. Après avoir « tiré son coup », la voilà partie avec ses camarades, n'ayant plus rien à faire avec sa conquête du jour et sa future progéniture.

La **pieuvre** est passée maître en matière de division du travail. Son pénis est situé sur l'un de ses huit tentacules. Au moment de l'accouplement, le bras entier se détache et se lance à la poursuite de la femelle. Après la copulation, le pénis s'étiole, mais reste fiché dans la femelle.

UN ENTRETIEN AVEC

CYNTHIA PLASTER CASTER

LE ROCK 'N' ROLL
VERSION HARD

Elle fait partie des icônes rock des années 1960. Ses moulages en plâtre des légendes du rock'n'roll sont là pour le prouver. Cynthia Plaster Caster a régulièrement fait les colonnes du magazine *Rolling Stone* pour avoir eu l'audace de demander à des stars aussi célèbres que Jimi Hendrix, The Lovin' Spoonful, Savoy Brown ou encore Led Zeppelin de réaliser des moulages de leurs membres turgescents. Néophyte au départ, Cynthia a finalement pris le coup de main avec ces rockers bien membrés. Aujourd'hui, elle revient sur ses premières amours. Elle a même monté un spectacle relatant ses aventures.

LE PÉNIS ILLUSTRÉ : Qu'est-ce qui vous a poussé à faire des moulages en plâtre de queues célèbres ?

CYNTHIA PLASTER CASTER : À Chicago, notre professeur d'arts plastiques nous avait demandé de mouler quelque chose de dur. C'était l'époque où toutes les stars du rock anglais venaient faire des tournées aux États-Unis ; ils portaient des pantalons vraiment serrés qui faisaient saillir leurs machins. Je n'avais plus qu'à y regarder de plus près.

LE PÉNIS ILLUSTRÉ : Aviez-vous déjà vu un pénis ?

CYNTHIA PLASTER CASTER : Non. Le premier ressemblait à un long serpent… j'ai vraiment flippé !

LE PÉNIS ILLUSTRÉ : Comment Hendrix a-t-il réagi quand il s'est retrouvé avec ses poils pubiens pris dans le plâtre ?

CYNTHIA PLASTER CASTER : Il s'est montré très patient. J'avais oublié de suffisamment lubrifier ses testicules, et j'ai dû dégager ses poils un à un. Il n'a rien dit.

LE PÉNIS ILLUSTRÉ : Racontez-nous l'histoire du « plater ».

CYNTHIA PLASTER CASTER : En argot *cockney*, ça veut dire une pipe. Mon amie m'accompagnait dans les chambres d'hôtel et mettait le type en condition en lui faisant une gâterie. Pendant ce temps là, je préparais mon matériel.

LE PÉNIS ILLUSTRÉ : Le groupe Kiss vous a même dédié une chanson….

CYNTHIA PLASTER CASTER : Ouais, un truc du genre *Plaster Caster, grab a hold of me faster…if you want to see my love, just ask her…* Aujourd'hui j'aime bien cette chanson, mais pas quand ils l'ont écrite. Ils voulaient faire croire que je le leur avais fait.

LE PÉNIS ILLUSTRÉ : Parlez-nous de votre spectacle…

CYNTHIA PLASTER CASTER : J'ai appelé ça Talkin' Dick. J'apporte quelques-uns de mes moulages favoris. Je lis des extraits de mon journal intime. Je réponds aux questions. Les gens m'appellent de partout. Ils adorent qu'on leur raconte des anecdotes à propos de bites célèbres.

LE PÉNIS ILLUSTRÉ : Où conservez-vous votre collection de pénis ?

CYNTHIA PLASTER CASTER : Dans un coffre-fort, à la banque. Je peux dire à quel chanteur appartient tel ou tel moulage rien qu'en le regardant.

LE PÉNIS ILLUSTRÉ : Vous avez un nom pour votre famille de pénis ?

CYNTHIA PLASTER CASTER : Bien sûr. Je les appelle mes « petits chéris ».

« L'avantage avec la masturbation,
c'est qu'on n'a pas besoin d'enfiler quoi que ce soit. »

TRUMAN CAPOTE

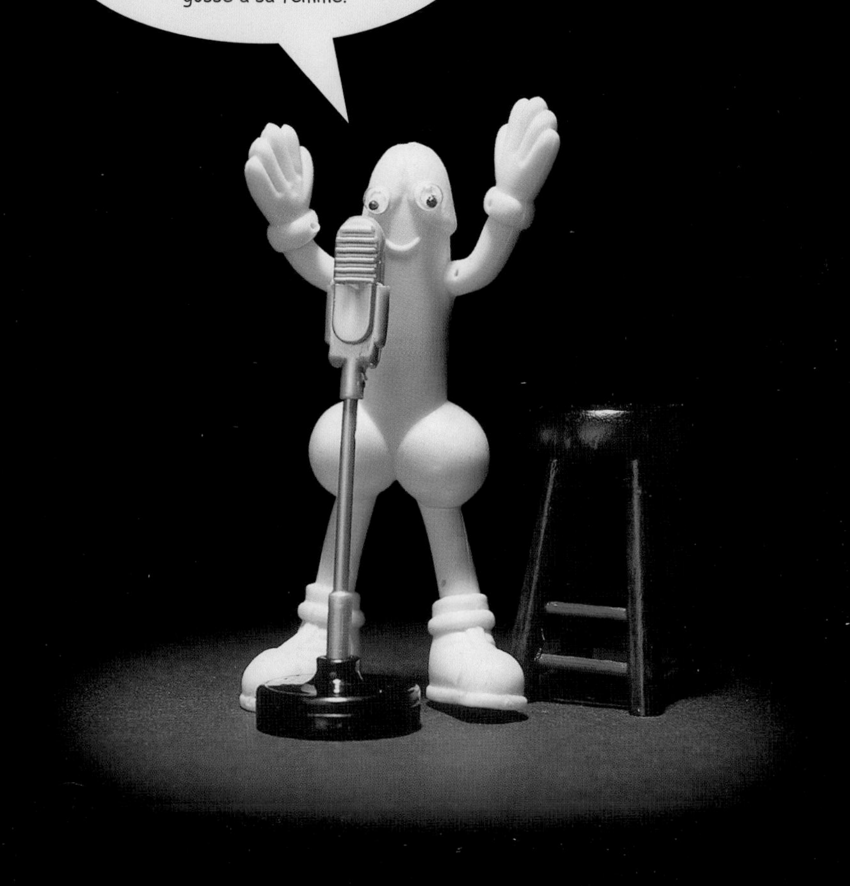
Mon
oncle s'est fait faire une
vasectomie. Il voulait payer par carte
bleue mais il n'avait plus un sou sur son
compte... La banque est venu et a fait un
gosse à sa femme.

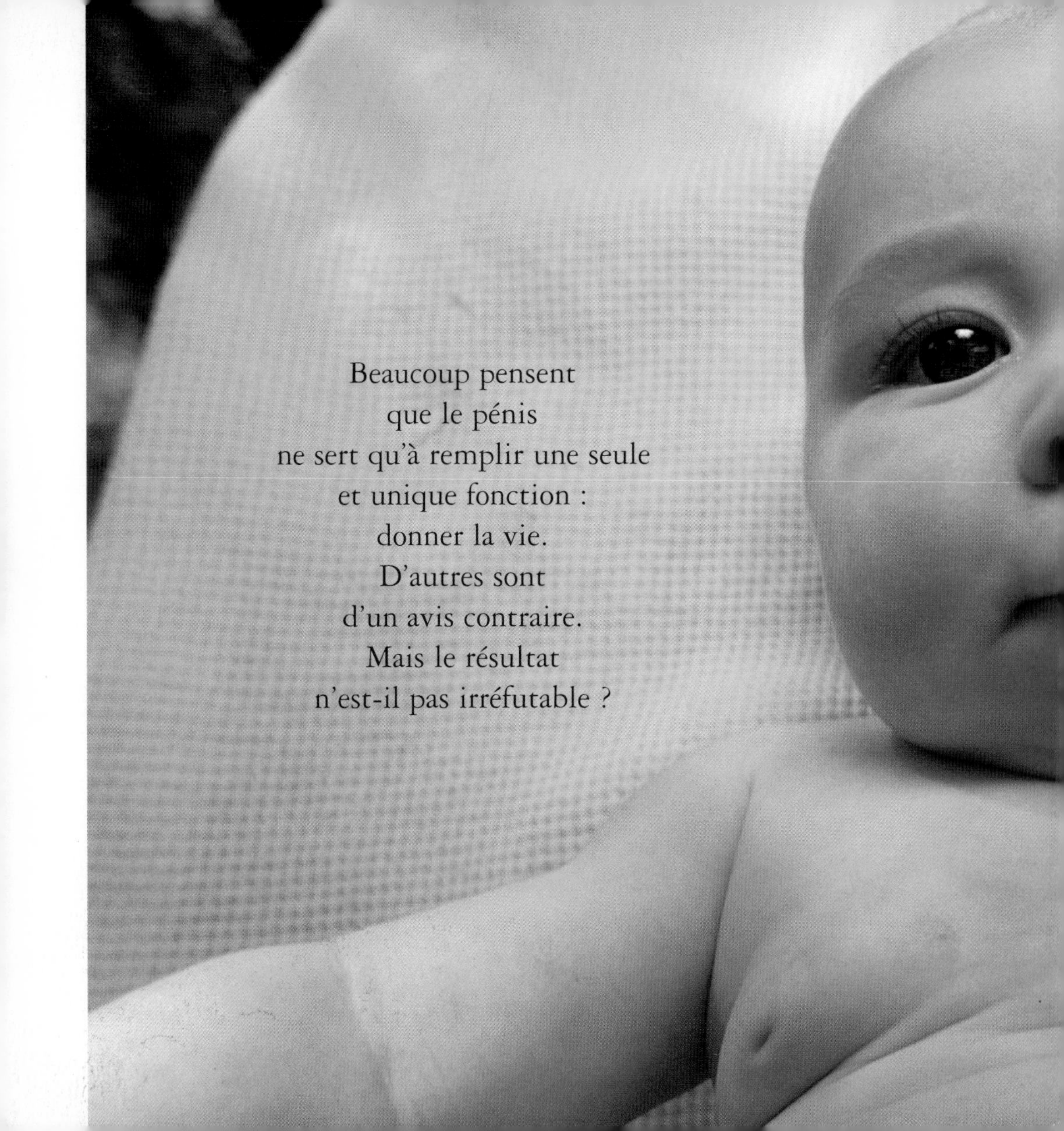

Beaucoup pensent
que le pénis
ne sert qu'à remplir une seule
et unique fonction :
donner la vie.
D'autres sont
d'un avis contraire.
Mais le résultat
n'est-il pas irréfutable ?

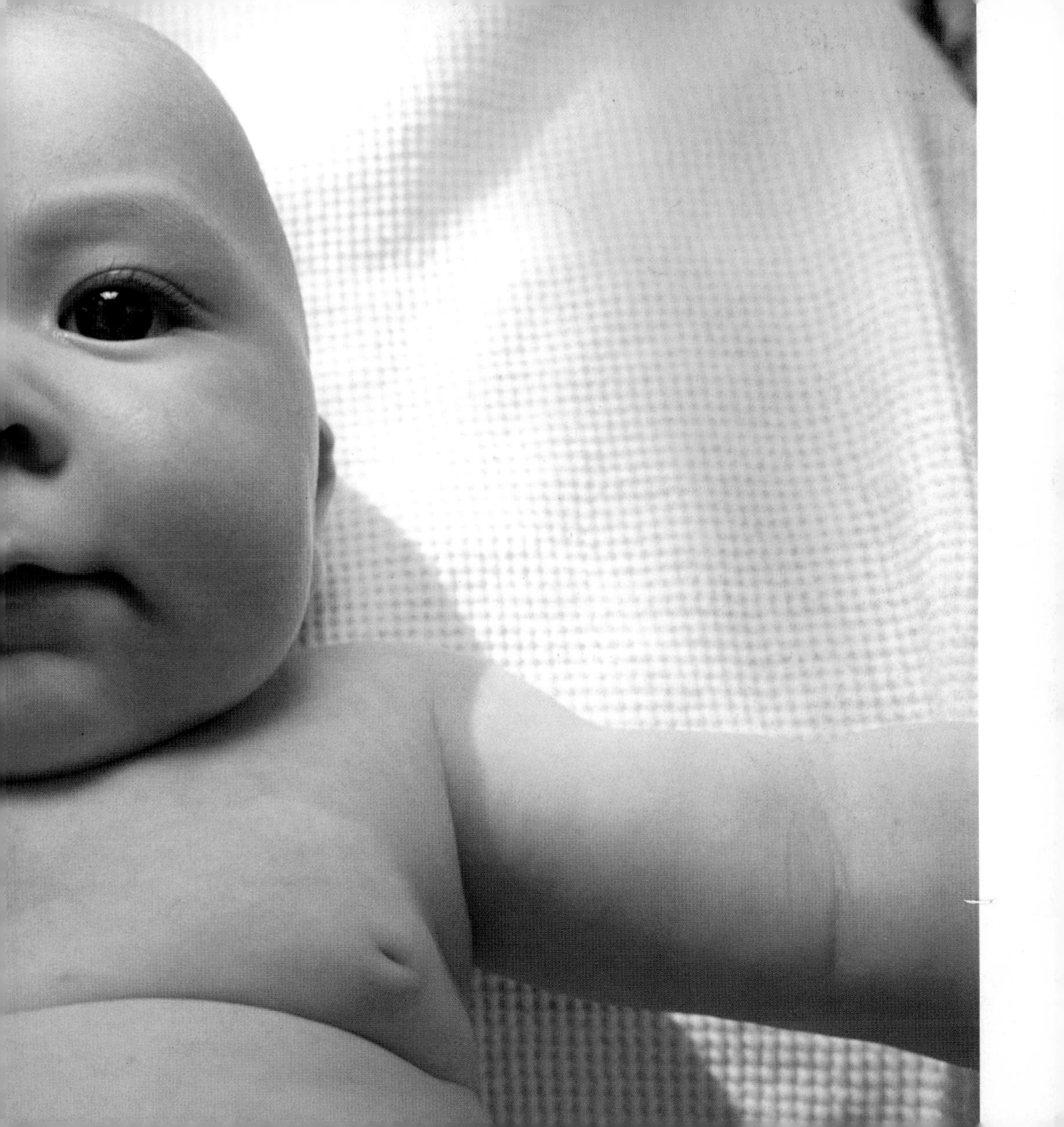

SOURCES ET CRÉDITS PHOTOGRAPHIQUES

Couverture, pp 4-5, 26, 28-29, 32-34, 44, 52-53 & rabat, 55, 62-63, 72, 88-89, 103, dos de couverture : Studio NYC

Page 1 : Lucien Barnes

p. 2 : Reed Massengill *Dana Laughing*

pp. 4-5 : Penis merchandise avec l'autorisation de Jimsons Novelties, NYC

pp. 10, 16-17, 58 : Harvey Redding

pp. 13, 15, 27, 32 (cadre), 39-40, 43, 64, 70, 86, 104-105 : PhotoDisc

pp. 19-20 (de gauche à droite) : Erich Lessing/Art Resource, NY (bas-relief phallique, Pompéi), SuperStock (statuette, Zaïre), collection privée (Dieu de la fertilité, Pérou), Erich Lessin/Art ressource, NY (statuette pré-dynastique, Égypte), Corbis/Peny Tweedie (peinture rupestre aborigène, Australie)

p. 20 : Taboo d'après le livre de Sandi Fellman, *The Japanese Tattoo* publié par Abbeville Press

Avec l'aimable autorisation d'Edie Solow d'Erotics Gallery, NYC :

p. 26 (grenouilles viennoises en bronze peint, vers 1890), p. 55 (statuette en ivoire, Hong Kong), p. 87 (gravure pour l'ouvrage de Barraud, Casanova en Images, vers 1936), pp. 88-89 (phallus ailé par Doug Johns, vers 1980), p. 90 (peinture indienne, vers 1950)

pp. 30-31 : © Collections de Tseng Kwong Chi et Keith Haring

pp. 32-33 : Pénis sauteurs avec l'aimable autorisation de The Pleasure Chest, www.apleasurechest.com

p. 37 : *Aperture f8* © Carlos Quiroz, avec l'autorisation de Leslie-Lohman Gay Art Foundation, NYC, www.planet.net/corp/leslie_lohman ; remerciements à Sal et Wayne pour leur disponibilité.

p. 46 : publicité du début du siècle, avec l'autorisation de Bob McCoy, The Museum of Questionable Medical Devices, www.mtn.org/quack.com

p. 47 : SuperStock

p.49 : Joy de Irwin Olaf, Wessell O'Connor Gallery, NYC ; merci à John et Bily, www.wesselloconnor.com

p. 60 : Andreas Sterzing

pp. 62-63 : Billy © Totem International, www.billyworld.com

p. 65, 85 : Ewing Galloway

pp. 66-67 : Nicholas Eveleigh

p. 68 : Picture Quest

p. 74 : Corbis/Charles & Josette Lenars (homme de Papouasie en Nouvelle-Guinée)

p. 75 : Corbis/Chris Rainier (homme des hauts plateaux de l'Irian Jaya en Indonésie)

pp. 76-77 : *Hermaphrodite* d'Arthur Tress

p. 78 : FPG International

p. 80 : © 1998 William DeMichele

p. 83 : Collection privée (peinture indienne contemporaine dans le style Moghol)

p. 84 : Extrait du *Complexe de Portnoy* de Philip Roth, copyright © 1969. Réimpression autorisée par Random House, Inc. Pour le Commonwealth : copyright © 1969. Réimpression autorisée par The Wylie Agency, Inc., Inc

p. 94 : *Orchis* © Carlos Quiroz, avec l'autorisation de Degen-Scharfman, NYC

p. 95 : *Eggplant I* de Frank Degen, avec l'autorisation de Degen-Scharfman, NYC

pp. 96-97 : Merci à Peter Thoeny pour les informations figurant sur son site Internet

pp. 100-101 : Katrina Wittkamp

MILLE MERCIS

À Elaine. Pour ses visites, ses encouragements
et sa bonne humeur.

À Tom, Chris et Christina (Tom Dolle Design, New York).
Pour avoir su faire vivre ces pages.
www.dolledesign.com

À Edie Solow de l'Erotics Gallery, New York.
L'art n'a jamais été si alléchant
ou si généreusement partagé.
www.eroticrarities.com

À Maman. Je me souviendrai toujours de toi demandant :
« Mais pourquoi faire un livre
sur la pénicilline ? »

À Jeanette. Une amie fabuleuse,
ma correctrice préférée.

À Toby, bien sûr. Pour sa fidélité à toute épreuve.

RESTONS EN CONTACT

Rendez-nous visite sur notre site
www.thepenisbook.com,
le nec plus ultra en matière de pénis,
constamment mis à jour.

Envoyez vos e-mail à veryfresh@aol.com.
Nous avons écrit ce livre,
mais nous ne prétendons pas tout savoir.
Parlons-en !

Vieux jeu ? Vous pouvez nous écrire à
Fresh Ideas Daily
Post Office Box 1
New York, NY 10276-0001,
USA

Ville de Montréal
Feuillet de circulation